Geronimo Stilton

LE ROYAUME DU BONHEUR

LE ROYAUME DE LA FANTAISIE-2

Avec la collaboration exceptionnelle
du caméléon Pustule

Tous, nous cherchons le bonheur, mais nous ne savons pas toujours où il se cache...

...C'est pourquoi il nous arrive de ne pas le trouver !

La Compagnie du **BONHEUR**

Le mot « compagnie » vient du latin et signifie « qui mange le même pain ». Il désigne un groupe de personnes qui s'aident mutuellement, chacune selon ses moyens. C'est là toute la force d'une compagnie !

DRAGON DE L'ARC-EN-CIEL

Je suis le fidèle messager de la reine des Fées ! Je chante des mélodies très douces ! Je me nourris de bonheur pur et j'adore les câlins !

OIE BLABLA

Je suis une grande bavarde ! Mais je suis aussi une infirmière experte et je connais des remèdes naturels contre toutes les maladies !

PUSTULE

Salut, les amis, je suis un pauvre petit caméléon pustuleux ! Je suis le guide de Geronimo Stilton au ROYAUME DE LA FANTAISIE !

GERONIMO STILTON

Je suis le directeur de *l'Écho du rongeur*, le plus célèbre journal de Sourisia ! J'entreprends un merveilleux voyage au ROYAUME DE LA FANTAISIE !

AURORE NEIGECANDIDE

Je suis la princesse des Neiges. Je ne parle et ne souris jamais… Vous découvrirez mon histoire en lisant ce livre !

OSCAR CARAFON

Je suis un cafard tout simple mais très sympathique. J'ai exercé tous les métiers du monde ; voilà pourquoi je sais tout faire !

ALISEUS

Je suis une Licorne, mais j'ai aussi deux ailes splendides ! Mon histoire est merveilleuse ; vous la découvrirez dans ce livre !

**TOI AUSSI, TU VEUX TE JOINDRE
À LA COMPAGNIE DU BONHEUR ?
COLLE TA PHOTO ET ÉCRIS TON NOM !**

Colle ici
ta photo

Mon nom est ....
....

JE SUIS UN GARS, OU PLUTÔT UN RAT, NORMAL, TRÈS TRÈS NORMAL…

Chers amis rongeurs,

je suis un gars, ou plutôt un rat, absolument **normal**… et même **très très normal**…

Alors pourquoi est-ce à *moi*, toujours à *moi*, rien qu'à *moi* qu'il arrive des aventures **étranges**, et même **très très étranges** ?

Oh, veuillez m'excuser, je ne me suis pas encore présenté : mon nom est Stilton, *Geronimo Stilton*… Je dirige un journal, L'ÉCHO DU RONGEUR… et j'habite à SOURISIA… sur l'ÎLE DES SOURIS !

Voici l'ÉCHO DU RONGEUR !

Et là, c'est moi, Geronimo Stilton !

Voici ma ville...

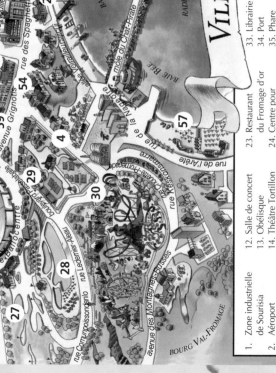

VILLE DE SOURISIA

1. Zone industrielle de Sourisia
2. Aéroport
3. Marché aux fromages
4. Marché aux poissons
5. Hôtel de ville de Sourisia
6. Château de Snobinailles
7. Sept collines de Sourisie
8. Gare
9. Centre commercial
10. Cinéma Ratéon
11. Gymnase Rat-Gym
12. Salle de concert
13. Obélisque
14. Théâtre Tortillon
15. Grand Hôtel de Sourisia
16. Hôpital
17. Jardin botanique
18. Bazar des Puces qui Boitent
19. Musée d'art moderne
20. Université et bibliothèque
21. la Gazette du rat
22. l'Écho du rongeur
23. Restaurant du Fromage d'or
24. Centre pour la protection de la mer et de l'environnement
25. Capitainerie du port
26. Stade
27. Terrain de golf
28. Piscine
29. Tennis
30. Parc d'attractions
31. Maison de Geronimo
32. Quartier des antiquaires
33. Librairie
34. Port
35. Phare
36. Musée du Fromage
37. Cimetière
38. Fontaine de Gruyère
39. Grands magasins
40. Centre de sports nautiques
41. Château de Sourisia
42. Pinacothèque (Mona Sourisa)
43. Centre sportif
44. Marché aux fruits
45. Tribunal
46. Rat Bank
47. Palais des expositions
48. École de Benjamin
49. Fontaine de Fondue
50. Contrôle de qualité fromagère
51. Magasin de farces et attrapes *Au Rat farceur*
52. Monnaie
53. Bourse
54. Taverne de la Croupière
55. Statue de Tartarin Tarabiscote, fondateur de Sourisia
56. Quartier des affaires
57. Plage de Sourisia
58. Kiosque
59. Supermarché Keuhocaisse
60. Métro
61. Anciens remparts
62. Studio de télévision de Rat TV
63. Pizzeria *Au Galion du pirate*
64. Statue de la Liberté

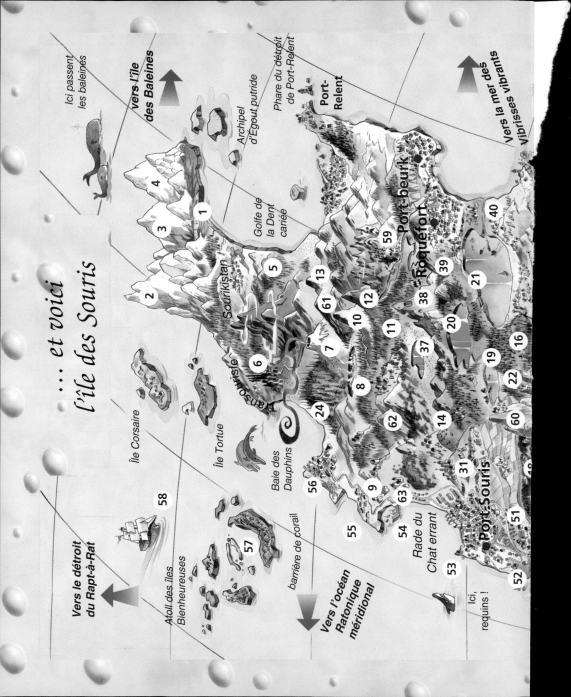

... et voici
l'île des Souris

Vers le détroit
du Rapt-à-Rat

Atoll des îles
Bienheureuses

Île Corsaire

Île Tortue

Baie des
Dauphins

barrière de corail

Vers l'océan
Ratonique
méridional

Ici, requins !

Ici passent
les baleines

vers l'île
des Baleines

Archipel
d'Égout putride

Golfe de
la Dent
cariée

Phare du détroit
de Port-Relent

Port-
Relent

Transourisie

Sourikistan

Port-beurk

Roquefort

Vers la mer des
Vibrisses vibrants

Port-Souris

Rade du
Chat errant

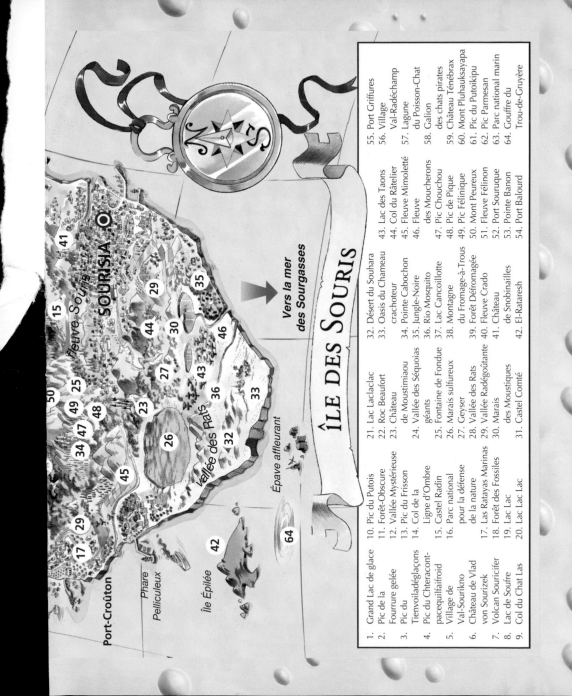

ÎLE DES SOURIS

1. Grand Lac de glace
2. Pic de la Fourrure gelée
3. Pic du Tienvoiladéglaçons
4. Pic du Chteracont-pacequiltaitfroid
5. Village de Val-Sourikno
6. Château de Vlad von Sourizek
7. Volcan Souricifer
8. Lac de Soufre
9. Col du Chat Las
10. Pic du Putois
11. Forêt-Obscure
12. Vallée Mystérieuse
13. Pic du Frisson
14. Col de la Ligne d'Ombre
15. Castel Radin
16. Parc national pour la défense de la nature
17. Las Ratayas Marinas
18. Forêt des Fossiles
19. Lac Lac
20. Lac Lac Lac
21. Lac Laclaclac
22. Roc Beaufort
23. Château de Moustimiaou
24. Vallée des Séquoias géants
25. Fontaine de Fondue
26. Marais sulfureux
27. Geyser
28. Vallée des Rats
29. Vallée Radégoûtante
30. Marais des Moustiques
31. Castel Comté
32. Désert du Souhara
33. Oasis du Chameau crachoteur
34. Pointe Cabochon
35. Jungle-Noire
36. Rio Mosquito
37. Lac Cancoillotte
38. Montagne du Fromage-à-Trous
39. Forêt Défromagée
40. Fleuve Crado
41. Château de Snobinailles
42. El-Rataresh
43. Lac des Taons
44. Col du Râtelier
45. Fleuve Mimoletté
46. Fleuve des Moucherons
47. Pic Chouchou
48. Pic de Pique
49. Pic Félinique
50. Mont Peureux
51. Fleuve Félinon
52. Port Souruque
53. Pointe Banon
54. Port Balourd
55. Port Griffures
56. Village Val-Radéchamp
57. Lagune du Poisson-Chat
58. Galion des chats pirates
59. Château Ténébrax
60. Mont Pluhauksayapa
61. Pic du Putoikipu
62. Pic Parmesan
63. Parc national marin
64. Gouffre du Trou-de-Gruyère

Port-Croûton

Phare Pelliculeux

Île Épilée

Épave affleurant

SOURISIA

Fleuve Souris

Vallée des Rats

Vers la mer des Sourgasses

Heiiiin ?
Quoiquoiquoi ?

La journée avait été vraiment **normale**... *et même* **très très normale**... et le soir était arrivé, un soir **normal**... *et même* **très très normal**... En rentrant chez moi, je tombai sur mon cousin Traquenard.

– Tiens, justement, je *te* cherchais, *Geronimou* !

Il poursuivit, d'un ton mystérieux :

– J'ai **3** grandes nouvelles à t'annoncer !

J'étais intrigué : – Ah oui ? Et de quoi s'agit-il ?

Il expliqua d'un air solennel :

– **Nouvelle numéro 1** : *ce soir, j'ouvre un restaurant !*

J'étais enthousiaste : – *Génial !*

– **Nouvelle numéro 2** : *pour l'inauguration, il y aura un spectacle incroyable !* Un rongeur va tenter de battre le RECORD DU MONDE DE GOINFRERIE : il va dévorer plus de cent (je dis bien : cent) assiettes de spaghettis au gruyère !

Je le félicitai : – *Quelle idée originale !*

Traquenard marmonna :

– **Nouvelle numéro 3** : *le rongeur qui va tenter de battre le record, c'est... c'est... c'est... eh bien, enfin, c'est toi, quoi !*

Je répondis sans réfléchir : – *Formidable !*

Puis je me rendis compte de ce qu'il venait de dire et je hurlai :

– Quoiquoiquoi ? *Je* vais devoir manger plus de cent assiettes de spaghettis au gruyère ? Mais je n'y arriverai **jamais !**

Il fit semblant de ne pas entendre.

Il se mit à me lisser les moustaches avec un petit peigne.

– Tu peux me remercier. Grâce à moi, des MILLIERS, ou plutôt des MILLIONS, ou plutôt des MILLIARDS de téléspectateurs vont te voir en mondovision. J'ai invité *tous* les journalistes et *tous* les photographes et *toutes* les télévisions de l'île des Souris ! Ils étaient très très in-té-res-sés ! Ils n'arrêtaient pas de demander : « Geronimo Stilton va tenter de battre le RECORD DU MONDE DE GOINFRERIE ? Plus de cent assiettes de spaghettis au gruyère ? Mais c'est absolument incroyaaaaaaaaaaaaaaaaaaaaaaaaaaaaaable ! »

Heiiiin ? Quoiquoiquoi ?

Mon cousin Geronimo va battre... le record du monde de goinfrerie !

Vraiment ?

Traquenard hurla :

– Dis-lui, Téa, qu'il ne peut pas se défiler ! C'est trop tard !

Une petite patte me tira par la manche.

– Tonton ! Je viens d'apprendre que tu allais tenter de battre le RECORD DU MONDE DE GOINFRERIE ! JE SUIS FIER DE TOI !

Je soupirai :

– Bon, eh bien… Si c'est Benjamin qui le demande !

Tandis que les photographes me m$_i$t$_r$a$_i$l$_l$a$_i$e$_n$t, Traquenard donna le top chrono :

– Tu as une heure pour battre le RECORD DU MONDE DE GOINFRERIE. COUSIN, *C'EST PARTI AVEC LA PREMIERE ASSIEEEEEEEEEEEEEEEEEEEEETTE !*

J'ouvris la bouche, enfournai la première fourchetée…

La famille Stilton

TÉA STILTON
Sœur de Geronimo
Envoyée spéciale de L'ÉCHO DU RONGEUR, elle aime l'aventure. Elle sait aussi être très charmeuse.

TRAQUENARD STILTON
Cousin de Geronimo
Il a fait des milliers de petits boulots, mais son grand rêve, c'est d'ouvrir un restaurant. Il adore faire des farces à ses amis.

BENJAMIN STILTON
Neveu de Geronimo
Il est tendre et affectueux. Quand il sera grand, il sera journaliste, comme son oncle Geronimo.

J'étais désespéré : – Mais je n'y arriverai jamais ! En plus, j'ai l'estomac très délicat, tu sais bien que j'ai des problèmes de digestion, le docteur m'a mis au régime et…

Traquenard me pinça la queue.

– Allez, cousin, je sais que tu raffoles des spaghettis et du gruyère, alors où est le problème, hein ? Tu ne veux quand même pas que je me **RIDICULISE**, hein ?

J'allais partir quand *quelqu'un* m'attrapa par la queue. Deux **yeux violets** me fixèrent d'un air résolu : c'était ma sœur, Téa ! Elle siffla :

– Que fais-tu ? Tu t'enfuis ?

À MINUIT PILE...

J'avais battu le RECORD DU MONDE DE GOINFRERIE !
Mais je m'étais tellement *goinfré* de spaghettis que
quand je marchais j'avais plutôt l'impression de ROULER ROULER ROULER ROULER ROULER ROULER ROULER ROULER ROULER ROULER

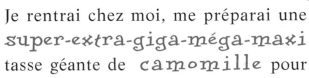

tasse géante de camomille !!!

Je rentrai chez moi, me préparai une
super-extra-giga-méga-maxi
tasse géante de camomille pour
mieux digérer. Puis je me mis au lit.
J'avais à peine posé la tête sur l'oreiller que
je tombai dans un sommeil de plomb.
Je ronflais comme un bienheureux !
À MINUIT pile, je fus réveillé par un bruit
bizarre...

Dong ! Dong ! Dong ! Dong ! Dong ! Dong !
Dong ! Dong ! Dong ! Dong ! Dong ! Dong !

La fenêtre était ouverte. Et le bruit provenait justement de la fenêtre !

J'entendis un *chant mélodieux,* comme celui de mille rossignols... Je vis deux énormes YEUX DORÉS qui brillaient dans le ciel noir... Je sentis un délicat parfum de rose... Je le reconnus aussitôt : c'était le *Dragon de l'Arc-en-ciel* !

Il me tendit un parchemin parfumé et chanta :

Voici un message de Floridiana del Flor, la reine des Fées !

Eeeehhh ???

Tout **ému**, je décachetai le parchemin.

Ce n'est pas tous les jours qu'on reçoit une lettre de la reine des Fées…

Que me voulait-elle ?

Peut-être allais-je partir pour une **étrange** aventure ? Je dois reconnaître que les aventures **étranges** sont aussi les plus **AMU-SANTES** !

Dragon de l'Arc-en-ciel

C'est le fidèle messager de la reine des Fées. Il a le corps recouvert d'écailles d'or et porte sept cornes aux couleurs de l'arc-en-ciel. Il aime la musique classique et quand il parle, il s'exprime par de douces mélodies. Il se nourrit de pur bonheur et ses narines soufflent un délicat parfum de rose ! Il a la force de mille Dragons… mais il adore les caresses !

Dès que j'eus décacheté le parchemin, je m'aperçus qu'il était écrit en *fantaisique*, la langue du ROYAUME DE LA FANTAISIE.

J'avais déjà visité ce **merveilleux** royaume !

Je traduisis le message et décidai de partir. Si la reine avait besoin de moi, j'étais prêt à tout !

Voulez-vous essayer de le traduire, vous aussi ?

Pour vous y aider, vous trouverez, à côté du message, l'ALPHABET FANTAISIQUE…

Réussirez-vous à traduire le message de la reine des Fées ?

VOICI L'ALPHABET FANTAISIQUE !

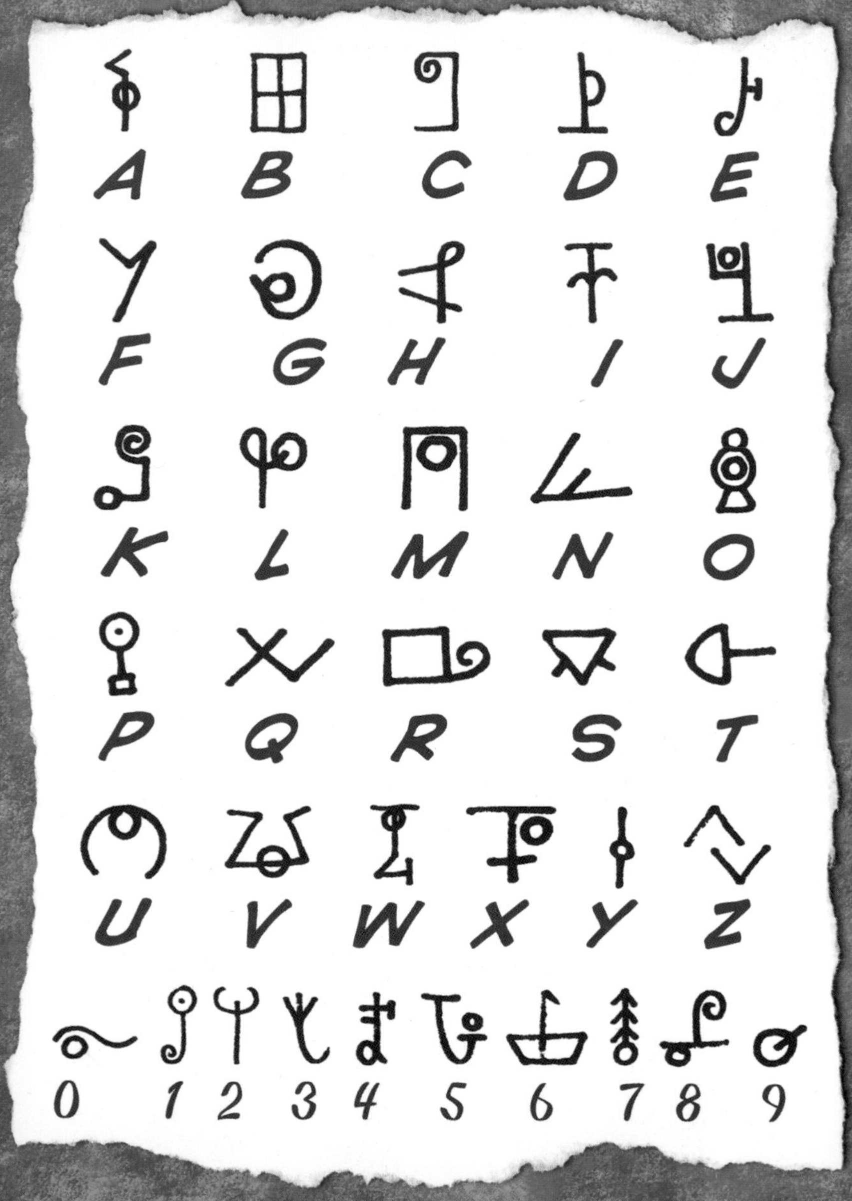

EN ROUTE POUR
L'ARC-EN-CIEEEEEEL !

Pressé de se mettre en route, le Dragon de l'Arc-en-
ciel agitait impatiemment la queue.

Je montai sur son dos et m'agrippai solidement à
son cou en m'écriant :

– En route pour l'arc-en-cieeeeel !

Le Dragon prit son élan et s'éleva dans les airs, en battant doucement de ses grandes ailes dorées.

L'air frais de la nuit fit se tortiller mes moustaches…

Que d'émotions ! Je retournais au ROYAUME DE LA FANTAISIE pour aider encore une fois Floridiana !

Tout en volant, je repensais au message de la reine des Fées.

C'est moi qu'elle appelait au secours, et personne d'autre… Moi, Geronimo Stilton !

Le voyage dura des heures et des heures et des heures.

Le Dragon de l'Arc-en-ciel battait lentement des ailes.

L'air de la nuit était glacial.

Mais le corps du Dragon était moelleux comme un oreiller... chaud comme une bouillotte... et douillet comme un berceau.

J'avais l'impression d'être protégé... bercé... aimé... et il me sembla que je redevenais petit petit petit.

AU ROYAUME DE LA FANTAISIE !

Le Dragon me chanta une berceuse :

Dors tranquillement dans la nuit sombre,
Dors calmement, n'aie pas peur des ombres !
Dix mille étoiles veillent sur toi...
Dors, fais des rêves doux comme la soie.
Que cette nuit soit la plus heureuse,
Elle est enchantée par ma berceuse !

Bercé par la voix harmonieuse du Dragon...
je me blottis dans le doux creux de ses ailes pour ne pas tomber. Puis je fermai les yeux.

Je me réveillai à l'aube.

Le soleil pointait déjà à l'horizon du ROYAUME DE LA FANTAISIE, comme une promesse de bonheur.

Magie et fantaisie

On confond souvent magie et fantaisie.
Pourtant, ce sont deux choses très différentes…

La MAGIE n'est qu'une illusion négative ! En effet, il ne suffit pas d'avoir une baguette magique pour changer la réalité ou pour transformer ce qu'on ne veut pas accepter. Depuis toujours, l'homme a recherché dans la magie une aide pour résoudre ses problèmes… mais la magie n'existe pas ! Les amulettes magiques sont inefficaces, les formules magiques ne marchent pas… et les sorcières, les mages, les fées, les lutins, les gnomes, les ogres et les géants ne se rencontrent que dans les contes.

La FANTAISIE, elle, est une capacité positive ! Celui qui la possède regarde le monde avec des yeux différents et parvient à voir ce qui reste invisible aux autres : l'Harmonie là où règne la Disharmonie, le Bien là où semble triompher le Mal, la Lumière là où paraissent gagner les Ténèbres. Si tu as un problème, essaie de le résoudre de manière *fantaisiste*, en le considérant d'un autre point de vue et en comptant, d'abord, sur la créativité, sur l'esprit d'entreprise, sur l'optimisme.

Le ROYAUME DE LA FANTAISIE est un endroit merveilleux, et pour s'y rendre, il suffit de… rêver !

Je regardai en dessous.

Voici l'effroyable **ROYAUME DES SORCIÈRES**, que gouverne la reine Noire, la perfide Sorcia !

Et le mélodieux ROYAUME DES SIRÈNES, peuplé de dauphins et de serpents de mer.

Et le lugubre ROYAUME DES DRAGONS, une aride étendue de pierres volcaniques habitée par des Dragons cracheurs de feu !

Et le drôle de ROYAUME DES LUTINS, où l'on s'amuse à résoudre mille devinettes !

Et le fertile ROYAUME DES GNOMES, où la nature est toujours protégée !

Et le glacial **ROYAUME DES GÉANTS**, où vit le dernier des Géants.

Géant

Sirène

Gnomes

Sorcière

Lutin

Dragon

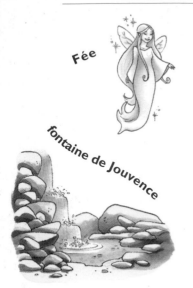

Fée

fontaine de Jouvence

comté des Licornes bleues

Enfin, voici le merveilleux royaume des Fées !

L'air en est suave, embaumant le parfum des roses…

En me penchant, je découvris la FONTAINE DE JOUVENCE et le COMTÉ DES LICORNES BLEUES.

J'admirai la VILLA DU SOLEIL ET DE LA LUNE, toute décorée de constellations célestes.

Puis la MAISON-QUI-CHANTE, et la TOUR DE LA FÉE MARRAINE.

Enfin, une lumière très pure : c'était Châteaucristal, le château de Floridiana.

Le Dragon se prépara à atterrir au royaume des Fées…

villa du Soleil
et de la Lune

Maison-qui-Chante

tour de la Fée Marraine

Royaume
des Fées

1. ROSE AUX MILLE PÉTALES
2. LAC DES SYLPHIDES
3. FORÊT DE LA BONTÉ
4. CLAIRIÈRE DE BELLOMBRE
5. BOISROSE
6. MANOIR DE LA FÉE MORGANE
7. MAISON TURQUOISE
8. MONTFLEURI
9. FORÊT DES SOUVENIRS PARFUMÉS
10. FONTAINE DE JOUVENCE
11. CLAIRIÈRE CLAIRE
12. VILLA DU SOLEIL ET DE LA LUNE
13. MAISON-QUI-CHANTE
14. BOIS DES DRUIDES
15. RAVIN D'ARGENT
16. TOUR DE LA FÉE MARRAINE
17. ROSSIGNOL À LA VOIX D'ARGENT
18. MONTNUIT RÊVEDOR
19. COMTÉ DES LICORNES BLEUES
20. MONTAGNE DES SECRETS
21. PAVILLON DES RÊVES D'AMOUR
22. CHÂTEAUCRISTAL
23. CHÂTEAU DE PÉGASE
24. LAC DE DOUCESEAUX
25. BOIS DES NYMPHES ET DES CENTAURES
26. ARC DE L'AMOUR PARFAIT

QUATRE PATTES,
UN MUSEAU ET
UNE QUEUE !

D'en haut, je vis une tache **ROUGE**
qui accourait vers nous.

Ah non, c'était une tache **VERTE**...
ou peut-être une tache **BLEUE** ?

Hum, voilà que la tache devenait
JAUNE...

Oh, maintenant, on aurait dit qu'elle
était **ROSE** !

Quoi ? Elle était devenue **ROSE**
à taches **NOIRES** ?

Puis **BLEUE** à pois **ROUGES** ?

Et, enfin, à rayures **MARRON** et
JAUNES ?

J'essuyai mes lunettes pour y voir plus
clair et observai bien la tache.

Je distinguai quatre petites pattes... une
queue... un museau pointu... deux petits
yeux vifs...

La tache s'écria : – *Excellence !*
Je l'avais reconnu. C'était **Pustule, le caméléon !**

Les caméléons savent se **camoufler**, c'est-à-dire se fondre dans le milieu qui les environne en changeant de couleur…

Le Dragon étendit ses grandes ailes **dorées**, allongea les pattes, et nous atterrîmes.

Le caméléon courut à moi, tout **essoufflé**.

– Euh, vous vous souvenez de moi ? Je suis Pustule ! Hum, je ne suis qu'un *pauvre petit caméléon pustuleux, très* honoré de vous accueillir, Excellence ! *Très* humblement à votre service ! Tout le monde attendait votre arrivée…

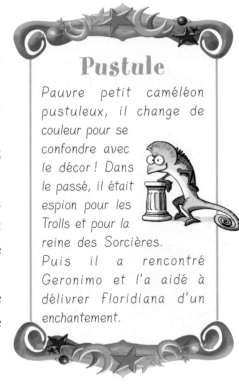

Pustule

Pauvre petit caméléon pustuleux, il change de couleur pour se confondre avec le décor ! Dans le passé, il était espion pour les Trolls et pour la reine des Sorcières.
Puis il a rencontré Geronimo et l'a aidé à délivrer Floridiana d'un enchantement.

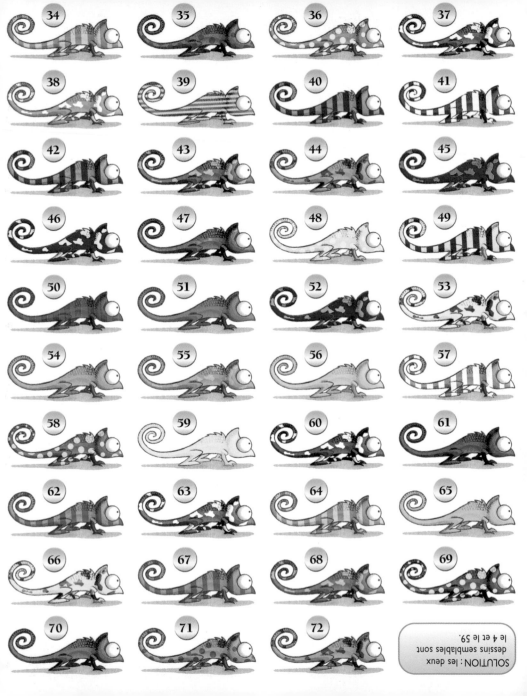

J'étais STUPÉFAIT.

– Vraiment ?

– Euh, tout le monde attendait le *très* valeureux Geronimo Stilton, qui va aider la reine à récupérer ce qu'elle *désire* plus que tout au monde !

– Et que désire-t-elle plus que tout au monde ?

– Euh, peut-être en ai-je trop dit ! Il s'agit d'un secret *très* secret ! Je ne peux rien vous dire, c'est la reine en personne qui vous expliquera tout ! Je vais vous accompagner chez elle, mais voudriez-vous…

Il passa sa langue sur ses lèvres, gourmand :

– Hum, je vais vous accompagner à Châteaucristal, mais voudriez-vous… pourriez-vous… me donne-riez-vous… bref, auriez-vous un petit bonbon pour un *pauvre petit* caméléon pustuleux ?

Ça, c'est moi, Pustule !

Guide officiel du royaume des Fées

Je fouillai dans mes poches.

– Tiens, c'est pour toi !

Il se mit à mâchouiller bruyamment le bonbon :

– *Miam miam miam !*

Puis il partit en trottinant sur le sentier de cristal qui menait au château.

– Et maintenant, admirez le château des Fées... Châteaucristal ! Remarquez comme il brille au soleil ! On dirait un *joyau* !

Pustule frappa à la porte.

– Euh, voici le *très* courageux Geronimo Stilton ! Il doit rencontrer *très* rapidement la reine des Fées !

Nous nous engageâmes dans un très loooooooooooooooooooooooooooooooooooooooooooooooooooooooooooooooooooong couloir qui conduisait au cœur du château.

LA REINE DES FÉES...
FLORIDIANA DEL FLOR

Je caressai le cristal dont était fait le château : il était *frais,* et pourtant *tiède* ! Il était *transparent,* et pourtant il *brillait* de mille nuances ! Il était *très léger,* et pourtant il était *très résistant* ! Et il était *parfumé à la rose* !

Pustule (qui était devenu couleur cristal) expliqua :

– Le cristal des Fées est très facile à modeler. Si on le lui demande GENTIMENT... le cristal prend toutes les formes qu'on veut ! Au royaume des Fées, chacun, ainsi que chaque objet, est libre de faire ce qu'il désire... mais le plus grand désir de tous, c'est de *rendre les autres heureux* !

Je t'en prie, cristal des Fées... prends la forme d'un cœur !

Nous pénétrâmes dans un salon : sur un orgue de cristal, une Fée jouait une douce musique dont les notes harmonieuses me caressaient le cœur.

Royaume des Fées

Reine : Floridiana del Flor, la reine Blanche, maîtresse de la Paix et du Bonheur, Celle qui Rassemble en Elle l'Harmonie du Monde.

Palais royal : Châteaucristal.

Monnaie : florin enchanté.

Langue officielle : féerique.

Informations sur le royaume : les Fées, petites et lumineuses, dansent et chantent merveilleusement. Elles tissent les rayons de Lune et de Soleil pour confectionner les étoffes de leurs précieux vêtements.

Floridiana del Flor

Sept Fées firent sonner sept trompettes de cristal :

– Que *Geronimo Stilton* entre !

Au centre de la salle se dressait un trône de cristal, sur lequel était assise *Floridiana del Flor*, la REINE BLANCHE, MAÎTRESSE DE LA PAIX ET DU BONHEUR, CELLE QUI RASSEMBLE EN ELLE L'HARMONIE DU MONDE !

Elle était minuscule, mais parfaitement proportionnée. Son teint délicat resplendissait d'une lueur cristalline. Elle avait de petites oreilles pointues.

Des diamants et des boutons de rose étaient tressés dans ses cheveux. Ses petits pieds étaient chaussés d'escarpins transparents.

À ses épaules étaient fixées des ailes légères comme un souffle.

Elle avait l'air très jeune, mais son royaume existait depuis toujours ! Je me prosternai devant elle.

– Très harmonieuse Majesté, me voici. Que puis-je faire pour vous ?

Elle sourit : – Merci d'être venu. Je désire que vous partiez pour une **grande recherche** et que vous me rapportiez le **Cœur du Bonheur** ! Ne me demandez pas pourquoi... mais ça en vaut la peine !

– Comment dois-je entreprendre cette RECHERCHE ? Et où se trouve le CŒUR ?

Floridiana soupira :

– Hélas ! votre mission est très difficile. La carte pour trouver le Cœur est conservée... au **pays des Ogres** !

J'étais un peu **ÉPOUVANTÉ**, mais j'étais sûr d'une chose : pas question de décevoir Floridiana.
Je m'inclinai.

– Je ne reviendrai pas avant d'avoir trouvé le Cœur. Parole de Stilton, de *Geronimo Stilton* !

Cependant, un chœur de petites Fées chantait :

Si le Cœur du Bonheur
tu veux trouver,
Dans la grande recherche
dois te lancer !
Le voyage débute et finit ici,
Et à la fin, tu seras ébahi !
Tu trouveras mille clefs du bonheur,
Mais ne comprendras qu'à la dernière
heure !
Fais le choix de l'amour...
Le cœur te guidera toujours !

UNE OIE
TROP BAVARDE !

C'est alors qu'une petite voix essoufflée s'écria :
– Excellence, vous aurez besoin d'un guide ! Moi,
Pustule, je serai votre guide ! Moi, **Pustule**,
je participerai à la GRANDE RECHERCHE ! Moi,
Pustule, je vous aiderai à trouver le CŒUR DU
BONHEUR !

J'acceptai : – D'accord, avec le Dragon
et toi, nous sommes déjà trois.
Nous nous appellerons... la
COMPAGNIE DU BONHEUR !
Mais quelqu'un **cria** à tue-
tête : – Excellence, vous ne
pouvez *absolument* pas partir
sans *moiii* !
Je découvris une oie dodue, qui
s'abritait sous une ombrelle
jaune.

– Poussez-vous, laissez-moi passer ! Je suis infirmière !
Excellence, vous devez *absolument* m'emmener avec
vous. Sans moi, vous serez *absolument* perdu ! Par
exemple, si vous avez besoin d'une piqûre…

Pustule lui arracha une plume.

– Mais qui peut bien avoir besoin de toi ?
PIPELETTE, tu vas donner des maux de tête à
son Excellence ! Il n'emmène
que *moi* !

Elle lui pinça la queue.

– Tais-toi, museau vert !
C'est *moi* qu'il emmènera !

– *Moi moi moi* !

– Non non non, *moi* !

– Silence, je vous en supplie !
dis-je. Je vous emmènerai tous
les deux : nous serons donc
quatre dans la COMPAGNIE.

Floridiana sourit.

– Non, Geronimo, vous
serez cinq. Car vous parti-
rez aussi avec…

Oie Blabla

*L'oie Blabla vit sur le lac
de Douceseaux, dans le
royaume des Fées.
Bavarde et indiscrète, elle se
mêle toujours de ce qui ne
la regarde pas. Mais c'est
une excellente infirmière. Elle
sait faire les piqûres,
connaît tous les secrets
des plantes médicinales et
les remèdes naturels pour
soigner les maladies.*

LA BELLE...
PARMI LES BELLES !

Une jeune fille s'avança vers nous ; légère comme un papillon, elle avait des cheveux blonds qui ressemblaient à des FILS D'OR.

LA PRINCESSE DES NEIGES

Aurore Neigecandide, fille du roi des Glaces. Elle ne parle pas et ne rit pas. Elle ne communique qu'en écrivant de brefs messages sur de petits papiers blancs comme neige. Elle vit dans le royaume des Fées. De nombreux prétendants ont demandé sa main, mais aucun n'a jamais réussi à faire fondre son cœur de glace.

Ses yeux en amande, ourlés de longs cils, étaient très beaux, mais ils étaient froids comme la **GLACE**.

Elle avait un teint de lys, une peau douce comme de la porcelaine.

Elle avait des oreilles

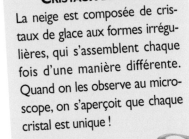

CRISTAUX DE NEIGE

La neige est composée de cristaux de glace aux formes irrégulières, qui s'assemblent chaque fois d'une manière différente. Quand on les observe au microscope, on s'aperçoit que chaque cristal est unique !

petites et délicates comme des coquillages.

Elle portait une robe d'un tissu très fin et brillant, qui ondulait légèrement à chacun de ses pas.

Elle avait autour du cou un bijou très précieux en forme de **cristal de neige**.

Floridiana annonça :

– Geronimo, dans cette GRANDE RECHERCHE, vous serez accompagnés par Aurore, la princesse des Neiges, fille du roi des Glaces, encore appelée... la Belle parmi les belles !

Je m'inclinai jusqu'à ce que mes moustaches effleurent le sol.

– Je suis très honoré. Merci, ô Belle parmi les belles !

La princesse des Neiges me regarda fixement en silence. Je poursuivis, **embarrassé** :

– J'espère que cela ne vous déplaît pas de partir. Avec vous, nous serons cinq dans la COMPAGNIE DU BONHEUR !

Aurore continuait de me fixer, sans rien dire.

Floridiana commenta doucement :

– Allons, il est temps que commence votre GRANDE RECHERCHE. Partez !

Mais pourquoi la princesse ne me répondait-elle pas ?

Je murmurai :

– J'espère que la princesse Aurore est heureuse de partir avec nous...

Floridiana reprit, cette fois avec une pointe de dureté dans la voix :

– La princesse partira avec vous. Tel est mon désir !

Aurore se retourna brusquement et se dirigea vers la porte. Derrière elle virevolta une feuille de papier blanc.

Elle n'y avait écrit que deux mots à l'encre bleue : « JE VIENS. »

Tandis que je me dirigeai vers le Dragon, l'oie Blabla chuchota, cancanière :

– Vous ne savez vraiment pas pourquoi elle ne vous a pas répondu ? Aurore est appelée la BELLE PARMI LES BELLES... mais aussi CELLE QUI NE PARLE À PERSONNE, et aussi LE VISAGE QUI NE CONNAÎT PAS LE SOURIRE, et aussi LE CŒUR DE GLACE QUI N'A JAMAIS AIMÉ, et aussi L'OBSCUR SECRET DE LA TRISTESSE INFINIE, et même...

Je la suivis, plongé dans mes pensées.

Hum, quels drôles de compagnons de voyage !

La GRANDE RECHERCHE ne serait pas facile.

Non non non, ce ne serait pas du tout facile.

Parole de Stilton... *Geronimo Stilton !*

PAROLE...
DE CAFARD !

Au moment où nous sortions du château, un cafard s'approcha de moi, tout *ému* :

– Vous êtes bien le courageux héros qui va se lancer dans la GRANDE RECHERCHE pour la reine des Fées ? Je vous souhaite bon voyage, mon cœur sera avec vous.

OSCAR CARAFON

Né à Blatte, dans la lointaine terre des cafards, il est arrivé dans le royaume des Fées pour chercher du travail. Il rêve de retourner un jour dans sa terre après avoir fait fortune. Il a exercé tous les métiers du monde ; il sait cuisiner, danser, jouer du violon et raconter des blagues !

Je suis OSCAR CARAFON. Oh, comme j'aimerais, moi aussi, pouvoir aider notre douce reine !

L'oie cacarda d'un ton impoli : – Geronimo, à quoi bon perdre son temps à parler avec cet insecte ?

Le cafard baissa humblement la tête.

– Je sais bien que je ne suis rien ni personne, mais... je donnerais ma vie pour notre *reine* bien-aimée !

L'oie soupira :

– Allez, Geronimo, partons. S'il fallait écouter tout le monde...

Le cafard se tut, mais je vis qu'il avait les yeux brillants de LARMES.

Je l'embrassai : – Je te remercie de tes paroles sincères, mon ami. Je dirai à la reine que tu lui es fidèle !

Le cafard s'illumina : – Vraiment ? Vous parlerez de moi à notre reine ? Merci, Excellence !

Puis il murmura :

– Ah, la **grande recherche**... Comme j'aimerais partir avec vous ! Je me rendrai utile : je prendrai soin du Dragon en astiquant ses écailles une à une... et je cuisinerai de bons petits plats... et je ferai la vaisselle... et la lessive... et je porterai les

bagages… et le soir, je jouerai du violon pour divertir les amis !

Je réfléchis.

– C'est décidé, tu viens avec nous. Avec toi, nous serons six dans la COMPAGNIE DU BONHEUR !

L'oie me hurla dans l'oreille droite :

– Ne l'emmenez pas ! Que voulez-vous qu'on fasse d'un cafard ?

Pustule me cria dans l'oreille gauche :

– Ne l'emmenez pas ! Il n'y a plus de place sur le Dragon !

Mais le Dragon sourit au cafard et lui fit généreusement une place sur ses ailes.

Puis il chanta d'une voix très douce :

Plus la Compagnie est nombreuse,
Et plus elle sera courageuse.
Elle affrontera les dangers
Et saura même en triompher.
Allez, montez tous sur mon dos,
Je vais vous emmener très haut !

Je souris à Oscar.

– Monte sur le Dragon, mon ami. Pour la COMPA-
GNIE DU BONHEUR, l'heure du départ a sonné !
Il s'écria, enthousiaste :
– Vive la COMPAGNIE DU BONHEUR !
Tous répétèrent en chœur :
– Vive la COMPAGNIE DU BONHEUR !
Tandis que nous montions
tous sur le Dragon, un RAYON DE SOLEIL
vint frapper le château de la reine des Fées.
Le cristal refléta la lumière, faisant naître un mer-
veilleux *arc-en-ciel*.
Le Dragon s'envola, porté par l'arc-en-ciel...

EN VOGUANT, LÉGERS, SUR LES AILES DU VENT

C'est seulement quand je fus en l'air, avec les moustaches qui *vibraient* dans le vent, que je me rendis compte que nous nous dirigions vers le **DANGEREUX** pays des Ogres, alliés des Sorcières.

Hélas, j'avais déjà eu affaire à la perfide reine des Sorcières, avec mon ami le crapaud *Scribouillardus Scribouillatus*.

Ah, quelle aventure ! J'avais réussi à arracher la reine des Fées à l'**ARMÉE OMBREUSE** de la reine des Sorcières.

Au cours du voyage, le Dragon voguait, léger, sur les ailes du vent, en faisant mille **ACROBATIES**.

Le soir tombait quand Pustule cria :

– Voici le **pays des Ogres** !

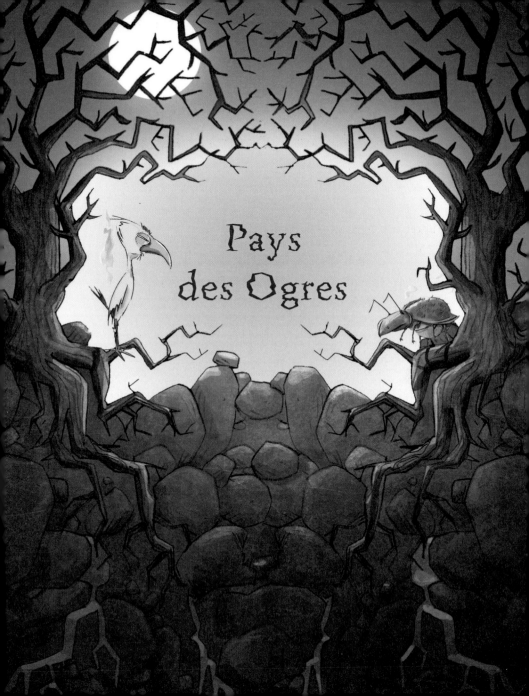

Pays
des Ogres

Le pays des Ogres était vraiment terrifiant.

Je vis des **DÉSERTS DÉSOLÉS**...

des **PICS SPECTRAUX**...

des **FLEUVES PUANTS**...

Et d'innombrables **VAUTOURS** déplumés...

C'est alors qu'une flèche vint frapper le Dragon de l'Arc-en-ciel.

Il chanta sur un ton plaintif :

Il faut m'aideeer,
je suis blessé,
par une flèche empoisonnée
qui m'a frappé !

Puis il tomba en vrille, comme un avion dont les moteurs sont en panne. On avait un *problème*.

Un gros problème.

Un très gros problème.

Un très très gros problème !

Pendant la chute, je fis une recommandation à mes compagnons :

– Attention ! Ne dites à personne que nous nous sommes lancés dans la **grande recherche** et ne parlez à personne du **Cœur du Bonheur** !

Pays des Ogres

Roi : Courgepelée, Grand Seigneur des Puants Pueurs Empuantis.
Palais royal : Tourquipue.
Monnaie : ogron.
Langue officielle : ogrois.
Informations sur le pays : les Ogres sont aussi grands que les Géants… et aussi sales que les Trolls ! Ils sont très friands de chair fraîche, et de boulettes qu'ils préparent avec les ingrédients les plus bizarres. Leur pays est voisin du royaume des Sorcières, dont les Ogres sont les amis et les alliés !

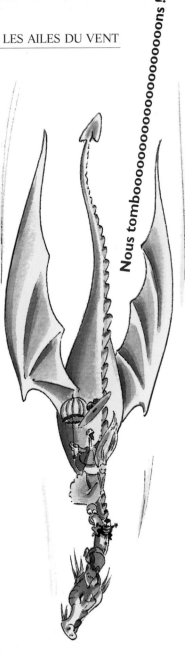

Nous tombooooooooooooooooooooons !

LA REINE DES SORCIÈRES

Nous tombâmes à une vitesse dragonesque dans le **MARAIS DE LA PUANTEUR NAUSÉEUSE** !

Pendant la chute... *je trouvai une clef de cristal : bizarre bizarre !* Je me souvins du message des petites Fées : « TU TROUVERAS MILLE CLEFS DU BONHEUR, MAIS NE COMPRENDRAS QU'À LA DERNIÈRE HEURE ! », et glissai la clef dans ma poche...

Puis nous plongeâmes dans l'eau **FANGEUSE**, poisseuse comme de la **COLLE**, puante comme du **FUMIER**.

De derrière les buissons surgirent *mille* et *mille* et *mille* horribles Sorcières puantes !

L'oie murmura :

– Nous venons de tomber au beau milieu du...

GRAND CONGRÈS DES SORCIÈRES

qui a lieu **AUJOURD'HUI** même au pays des Ogres !

Pustule marmonna :

– **AUJOURD'HUI** même ? Ah, nous sommes vraiment *très* chanceux !

Nous nageâmes jusqu'à la rive, en remorquant le Dragon, frappé par la flèche empoisonnée.

Soudain, nous entendîmes un hurlement qui nous glaça le **SANG** dans les veines :

Je vis une Sorcière au visage très beau mais très méchant, avec une bouche **écarlate** et un grain de beauté sur la lèvre.

Elle portait des **escarpins de soie rouge** à la pointe frisée. Elle avait des yeux  en amande magnétiques, l'un **VERT** et l'autre **NOIR**.

LA REINE DES SORCIÈRES

Les corbeaux Huginn et Muninn sont les conseillers de la reine !

Bombostrelle Mambostrelle Tangostrelle Dodustrelle

Je pâlis, parce que c'était Sorcia qui avait crié, la très perfide reine des...

Les Sorcières nous obligèrent à abandonner notre pauvre ami Dragon. Elles nous emmenèrent dans une caverne au plafond de laquelle étaient suspendues, la tête en bas, des milliers de chauves-souris noires, qui se mirent à v i r e v o l t e r !
Pustule balbutia :
– N-nous sommes dans la *t-très* épouvantable c-caverne des **PIPISTRELLES NOIRES** !
Les Sorcières nous entourèrent… et se mirent à danser !
Pendant ce temps… *je trouvai une clef de cristal : bizarre bizarre !* (voir pages 70-71)

Tarentelle   Dansostrelle   Hahastrelle   Chantastrelle

Devine où se cache
LA CLEF DE CRISTAL ?

LA CAVERNE DES PIPISTRELLES NOIRES !

Sorcia murmura, soupçonneuse :

– Rongeur, je sssais qui tu es : je me sssouviens de t'avoir vu au ROYAUME DE LA FANTAISIE ! Pourquoi es-tu revenu iccccci ?

Pustule hurla :

– C'est un secret *très* secret, il ne faut parler à personne de la **grande recherche** et...

L'oie cacarda :

– Tais-toi, il ne fallait pas le dire ! Est-ce que j'ai dit, moi, que nous recherchions le **Cœur du Bonheur** ?

Pustule la gronda :

– Tais-toi, il ne fallait pas le dire !

– Il ne fallait pas parler !

– Toi non plus !

– Tu aurais dû te taire !

– Toi aussi, tu aurais dû te taire !

Sorcia poussa un cri qui nous glaça le **SANG** dans les veines :

La reine des Sorcières m'adressa un sourire plus doux que le miel et plus TROMPEUR que de la fausse monnaie, puis elle deman- da d'une voix persuasive :

– GRANDE RECHERCHE ? CŒUR DU BONHEUR ? Intéresssssssssssssssssssant...

Comme je n'avais pas l'intention de rester une minute de plus dans cette caverne, je demandai :

– M-majesté, pourriez-vous me *délivrer* un laissez-passer me permettant de circuler dans le pays des Ogres avec la COMPAGNIE DU BONHEUR ?

Sorcia marmonna :

– Hum, sssi je trouve une plume...

Elle arracha une plume à une **CHOUETTE** enfermée dans une cage. Au même moment... *je trouvai une clef de cristal : bizarre bizarre !*

Devine où se cache
LA CLEF DE
CRISTAL ?

La reine poussa un cri qui nous glaça le **SANG** dans les veines :

Elle trempa la plume de chouette dans l'encre et commença à écrire sur un parchemin...

Moi, Sorcia,
reine des Sorcières,
j'autorise
la Compagnie
du Bonheur
à voyager dans
le pays des Ogres !

C'EST BEAU
DE S'AIDER
ENTRE AMIS !

La chouette emprisonnée avait l'air **TRISTE**.

Je profitai de ce que Sorcia était occupée à écrire pour ouvrir la cage en douce, puis je chuchotai :

– Amie à plumes, envole-toi !

Elle murmura :

– Merci, généreux rongeur, grâce à toi je vais pouvoir retourner chez moi, dans le **BOIS DES CHOUETTES ULULANTES** ! Tu es un véritable ami, je n'oublierai jamais ton geste si gentil !

Je souris.

– *C'est beau de s'aider entre amis !*

D'un battement d'ailes, la chouette s'envola.

Pendant que Sorcia scellait le parchemin avec de la cire... *je trouvai une clef de cristal : bizarre bizarre !* (voir page 78)

J'étais pressé de partir, parce que...

MOI, LES SORCIÈRES, J'EN AI TRÈS TRÈS TRÈS PEUR !

Au moment où nous sortions, Sorcia ordonna *quelque chose* au **ROI DES PIPISTRELLES NOIRES** : sûrement rien de *bon*, car elle avait sur les lèvres un sourire très très très **MÉCHANT** !

TROIS SORCIÈRES...
FRIANDES
DE CHAIR FRAÎCHE !

Nous allâmes rechercher le Dragon.

– Nous n'aurions jamais dû l'abandonner, se tourmentait Oscar.

Quand nous arrivâmes au puant **MARAIS DE LA PUANTEUR NAUSÉEUSE**, Pustule cria :

– Voici notre Dragon *très* aimé !

L'oie cacarda :

Le voici ! Le voici ! Le voici !

Aurore ne dit rien, mais se précipita, *rapide comme le vent*, vers un buisson d'où dépassait une queue couverte d'écailles.

Le Dragon avait les yeux clos, mais sa poitrine se soulevait et s'abaissait lentement : il était **VIVANT** !

Je caressai délicatement son museau.

– Mon ami, que pouvons-nous faire pour toi ?

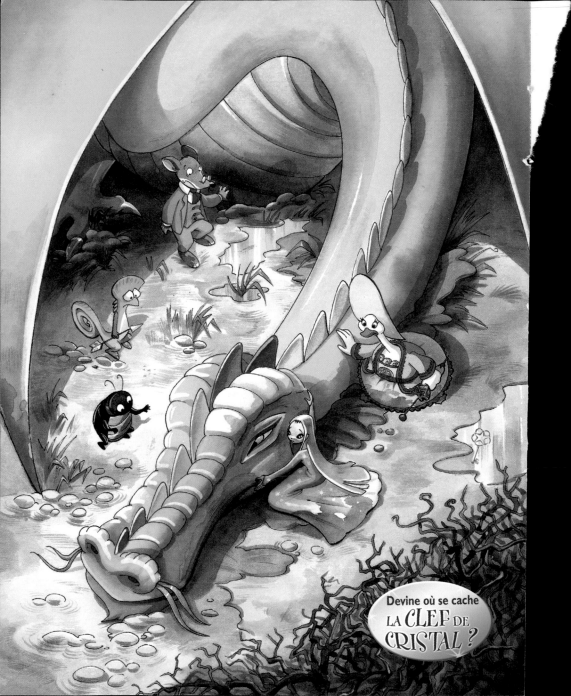

Devine où se cache
LA CLEF DE CRISTAL ?

Pendant que je le caressais… *je trouvai une clef de cristal : bizarre bizarre !*

Le Dragon ouvrit les yeux et murmura :

> *Toi seul peux me sauver,*
> *Mais l'antidote tu dois trouver !*
> *Dans le bois des Chouettes ululantes*
> *tu dois aller,*
> *Et trois Sorcières il te faudra chercher…*
> *Prends garde, ne te fais pas manger !*

J'étais intrigué :

– Un antidote ? Le bois des Chouettes ululantes ? Trois Sorcières ?

L'oie cacarda :

– C'est dans le **BOIS DES CHOUETTES ULULANTES** que vivent les **TROIS SORCIÈRES** : *elles* confectionnent des flèches empoisonnées… et elles seules connaissent l'**ANTIDOTE**, *le médicament qui annule le* **POISON** !

Je promis au Dragon :

– Je vais y aller, je trouverai l'antidote et je te sauverai, mon ami !

Pustule dit tout bas :

– Excellence, soyez prudent, *très* prudent. Les trois Sorcières sont friandes de chair fraîche et dévorent les voyageurs qui s'aventurent dans leur dange- reuse, dans leur *très* dangereuse forêt !

J'écarquillai les yeux.

– Elles d-dévorent les voyageurs ?

Oscar était INQUIET et Aurore elle-même me tendit un petit billet...

Je sanglotai :

– *Trois* Sorcières... friandes de CHAIR FRAÎCHE ? *Par mille mimolettes,* que vais-je devenir ?

Puis je pris mon courage à deux pattes.

– J'irai pour sauver mon ami Dragon !

PRUDENCE !

Snif ! Snif ! Snif !

J'ai peur des sorcières !

Dans le bois des Chouettes ululantes

Je gravis le **PIC OGRON** et m'enfonçai dans le **BOIS DES CHOUETTES ULULANTES**.

Les mille *YEUX JAUNES* des chouettes m'épiaient !

Les buissons épineux m'égratignaient au passage !

Des branches **GRIFFUES** essayaient de m'emprisonner !

Un fleuve d'une **EAU VERDÂTRE** et puante coulait dans le lointain !

Le ***VENT SOUFFLAIT***, glacial !

Dans la lumière de la pleine lune, entre les branches, il me semblait entrevoir les mains des trois Sorcières !

Et le ***ROI DES PIPISTRELLES NOIRES*** me suivait !

Voilà ce que lui avait demandé la reine des Sorcières, avec ce sourire très très très **MÉCHANT**: de me suivre...

Sauras-tu trouver
les trois mains des
trois Sorcières ?

SOLUTION : la première main est sur la branche, en haut à gauche ; la deuxième sur la branche qui sort du gros tronc d'arbre à gauche ; la troisième sur le tronc à droite.

Quand je parvins à la lisière du bois... *je trouvai une clef de cristal : bizarre bizarre !*

Devant moi se dressait un tronc d'arbre aussi gros qu'une maison ; ses fenêtres rondes ressemblaient à des yeux, sa porte à une bouche grimaçante. Je découvris un panonceau...

Soudain, je sentis une petite piqûre dans le cou.

Peut-être... avais-je été piqué par un moustique ?

Pourtant, il n'y avait pas de moustique dans les parages !

C'est alors que je tombai à terre, évanoui. Ce n'était pas un moustique.

J'avais été frappé par une des flèches empoisonnées des trois Sorcières !!!

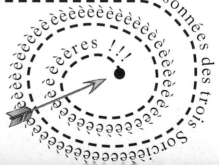

Devine où se cache
LA CLEF DE
CRISTAL ?

DE LA SOUPE
DE SOURIS… AU DÎNER !

Lorsque je revins à moi, j'étais enfermé dans une cage.

Trois petites voix méchantes croassaient :

– *Nous savions que tu allais arriver… Le roi des pipistrelles noires nous avait prévenues… et nous t'avons endormi !*

C'était Fritcia, Grifcia et Cricia !

NOIR

VIOLET

VERT

LA SORCIÈRE FRITCIA

La première était **TOUTE PETITE**, la deuxième **TRÈS GROSSE**, la troisième **TRÈS GRANDE** !
Fritcia avait du **VERNIS NOIR SUR LES ONGLES**, Grifcia du **VERNIS VIOLET SUR LES ONGLES**, Cricia du **VERNIS VERT SUR LES ONGLES**.

Toutes les trois... avaient de longs cheveux blanchâtres !

Toutes les trois... portaient une robe grisâtre !

Toutes les trois... avaient le nez pointu, plein de verrues poilues, et la bouche édentée !

LA SORCIÈRE GRIFCIA

LA SORCIÈRE CRICIA

Les trois Sorcières s'appro-
chèrent de la cage en souriant et me pincèrent trois
fois la queue.

Je poussai trois cris aigus :
– Aïe ! Aïe ! Aïe !

Les trois Sorcières rica-
nèrent :

– *Hi hi hi ! Nous te man-
gerons ce soir... promis
juré !*

Puis elles allumèrent le **FEU**
sous un chaudron de cuivre, en chantonnant :

– Moi, j'irai chercher du **bois** dans la forêt !

– Moi, j'irai cueillir du **piment** pour la soupe !

– Moi, j'éplucherai les **POMMES DE TERRE** pour la garniture !

Dès qu'elles furent parties, j'essayai de sortir de la
cage.

Agrippé aux barreaux, je chicotai :

– Je ne pourrai **JAMAIS JAMAIS JAMAIS** sortir d'ici !

Tandis que je cherchai une solution... *je trouvai une clef de cristal : bizarre bizarre !* (voir pages 92-93)

C'est alors que j'entendis une petite voix :

– Aurais-tu besoin d'aide, ami rongeur ?

C'était une chouette aux grands yeux jaunes qui venait de parler... Je la reconnus : c'était la chouette que j'avais sauvée de la perfide *REINE SORCIA* !

Elle se posa sur un perchoir et me fit un clin d'œil.

– Tu m'as libérée dans la caverne des pipistrelles noires : à mon tour de t'aider !

C'est beau de s'aider entre amis !

Puis la chouette vola jusqu'au clou et y prit la clef...
Puis la chouette vola jusqu'au clou et y prit la clef...
Puis la chouette vola jusqu'au clou et y prit la clef...

Devine où se cache
LA CLEF DE
CRISTAL ?

Os de dinosaure…
et ongles de yeti !

Elle l'introduisit dans la serrure, et la cage… s'ouvrit !
Je balbutiai : – Merci, chouette ! Je te dois la vie !
Elle s'envola en répondant : – On récolte toujours
ce qu'on a semé. *Celui qui est gentil avec autrui…*
recevra de la gentillesse !
Je jetai un regard circulaire sur le **laboratoire**
secret des trois Sorcières.
Il y avait là plein de choses bizarres !
Je vis d'innombrables bocaux remplis d'**os de**
dinosaure, **D'AILES DE CHAUVE-SOURIS**,
d'œufs de grenouille, **D'ONGLES DE**
YETI, **de crêtes de basilic**, **de**
racines de mandragore !

crêtes de basilic

œufs de grenouille

Il y avait aussi des potions, des alambics
emplis de liquides puants, des fioles pleines
de mixtures répugnantes. Et tous ces
livres de sorcellerie…
BRRRRRRRRR !

POISON

ANTIDOTE

Je mis enfin la patte sur ce que je recherchais : une bouteille pleine d'un liquide vert, le POISON dans lequel les Sorcières trempaient leurs flèches !

À côté, je découvris une autre bouteille, contenant un liquide bleu : l'ANTIDOTE pour sauver le Dragon !

Les Sorcières revinrent.

– Nous avons tout ce qu'il nous faut... Nous sommes prêtes à cuisiner ! Toute cette chair fraîche... ça va faire un bon petit repas !

Je glissai la bouteille dans ma poche et *DÉTALAI*...

Les Sorcières me poursuivaient, mais je continuais :

JE VOULAIS SAUVER MON AMI !

Les épines me griffaient, mais je continuais :

JE VOULAIS SAUVER MON AMI !

Les chouettes ululaient, lugubres, mais je continuais :

JE VOULAIS SAUVER MON AMI !

Je retraversai le **BOIS DES CHOUETTES ULULANTES** et gravis de nouveau le PIC OGRON, d'où jaillissaient des ruisseaux verdâtres !

En escaladant le pic... *je trouvai une clef de cristal : bizarre bizarre !* (voir pages 96-97)

Devine où se cache
LA CLEF DE
CRISTAL ?

Cependant, les **SORCIÈRES** me suivaient.

J'arrivai enfin dans le **MARAIS DE LA PUANTEUR NAUSÉEUSE** !

Mes compagnons accoururent vers moi, tout émus.

– Vite, donnons l'antidote au Dragon avant qu'il ne soit trop tard !

Je versai trois gouttes de **LIQUIDE BLEU** entre les lèvres de mon ami Dragon.

Merci, Geronimo, tu m'as sauvé la vie !

Devine où se cache **LA CLEF DE CRISTAL ?**

Je t'aime beaucoup, ami Dragon !

À LA PREMIÈRE GOUTTE... le Dragon rouvrit les yeux.

À LA DEUXIÈME GOUTTE... il étira ses ailes.

À LA TROISIÈME GOUTTE... il se releva, prêt à repartir.

Au moment où le Dragon se relevait... *je trouvai une clef de cristal : bizarre bizarre !*
Je criai à mes amis de la Compagnie du Bonheur :
– Partons avant que les Sorcières n'arrivent !
Au même instant, Fritcia, Grifcia et Cricia **FONDIRENT** sur nous !
Mais d'un bond, nous sᴬᵤᵀâᴹᴇˢ sur le dos de notre ami Dragon.
Il prit son élan et s'envola !
Par mille mimolettes... QUELLE AVENTURE

DANS LA TOUR DE L'OGRE COURGEPELÉE !

Pendant le vol, Pustule indiqua, au-dessous de nous, **TOURQUIPUE**, le palais royal du roi des Ogres. Tout autour poussaient des plantes épineuses malodorantes et volaient des insectes répugnants !

Pendant que nous volions... *je trouvai une clef de cristal : bizarre bizarre !*

Devine où se cache
LA CLEF DE CRISTAL ?

Au puant pays des Ogres

L'odeur de ce pays est irrespirable, et c'est pourquoi les Ogres ont choisi d'y vivre ! Tous les arbres dégagent une odeur pestilentielle, en particulier l'**Arboripuplus clocus**. Au lieu de produire des fleurs et des fruits, il donne des cloques pleines de liquide, qui laissent échapper une odeur épouvantable. La terre est couverte d'**herbe oignonique aillée** ; quand on marche dessus, elle pue aussi fort qu'un mélange d'ail et d'oignon pourri ! Un insecte verdâtre pullule dans la région, le **Cocotus repugnantus**, à la carapace couverte d'épines. Quand il vole, il laisse derrière lui un nuage malodorant.

Cocotus repugnantus

L'eau des fleuves est verdâtre, épaisse et poisseuse, et répand des relents infects. On y trouve un poisson épineux et venimeux : l'**Epinatus quipuquitus.**
Un oiseau typique de cette contrée est le **Volatilus putridus.**

Epinatus
quipuquitus

Arboripuplus
clocus

Volatilus
putridus

Herbe oignonique
aillée

Geronimo

Le Dragon se posa dans une clairière, près de la tour.

Nous décidâmes que ce serait moi qui entrerais pour aller chercher la *carte du Bonheur*, pendant que les autres resteraient dehors à faire le guet.

Je m'approchai sur la pointe des pattes, pour ne pas me faire remarquer.

Puis mes moustaches se tortillèrent de **FROUSSE**, quand, au pied de la tour, je découvris un panneau menaçant...

TOURQUIPUE

propriété de l'Ogre Courgepelée !
DÉFENSE D'ENTRER...
OU JE VOUS HACHE
COMME CHAIR À PÂTÉ !

Je pris mon courage à deux pattes et frappai.

Au bout d'un moment, j'entendis la terre trembler.

BOUM BOUM BOUM BOUM BOUM BOUM !
BOUM BOUM BOUM BOUM BOUM BOUM !

C'étaient les pas... de l'Ogresse...

CROCANPANSE !

Une grosse femme HAUTE comme une maison de trois étages, avec les cheveux GRAS, le nez en PATATE et les dents DE TRAVERS, ouvrit la porte de la tour en hurlant :

– Qui frappe ?

Elle était suivie de deux petits Ogres : Grade-marmite et BEDONLARDON !

J'entrai dans la tour en me faufilant entre leurs gros pieds.

L'Ogresse marmonna :

– Je ne vois personne.

Puis elle referma la porte.

J'avais les moustaches qui se tortillaient de FROUSSE.

J'ai toujours eu peur des Ogres !!!

LA FAMILLE DES OGRES

PÉLOSITA

ROMPUCHON

MASTOCROC

SOUPARAIGNÉE

ÉLISABONDE

ÉPIGASTRON

PANSENDENT

FLEURDERAVE

L'ANCIENNE FAMILLE DES OGRES a été fondée il y a très longtemps, lorsque Pansendent épousa Fleurderave et fit construire Tourquipue pour loger sa famille de géants. Ses descendants y habitent encore aujourd'hui ! Les Ogres raffolent de la chair fraîche : si vous allez au pays des Ogres... ne vous approchez pas de Tourquipue !

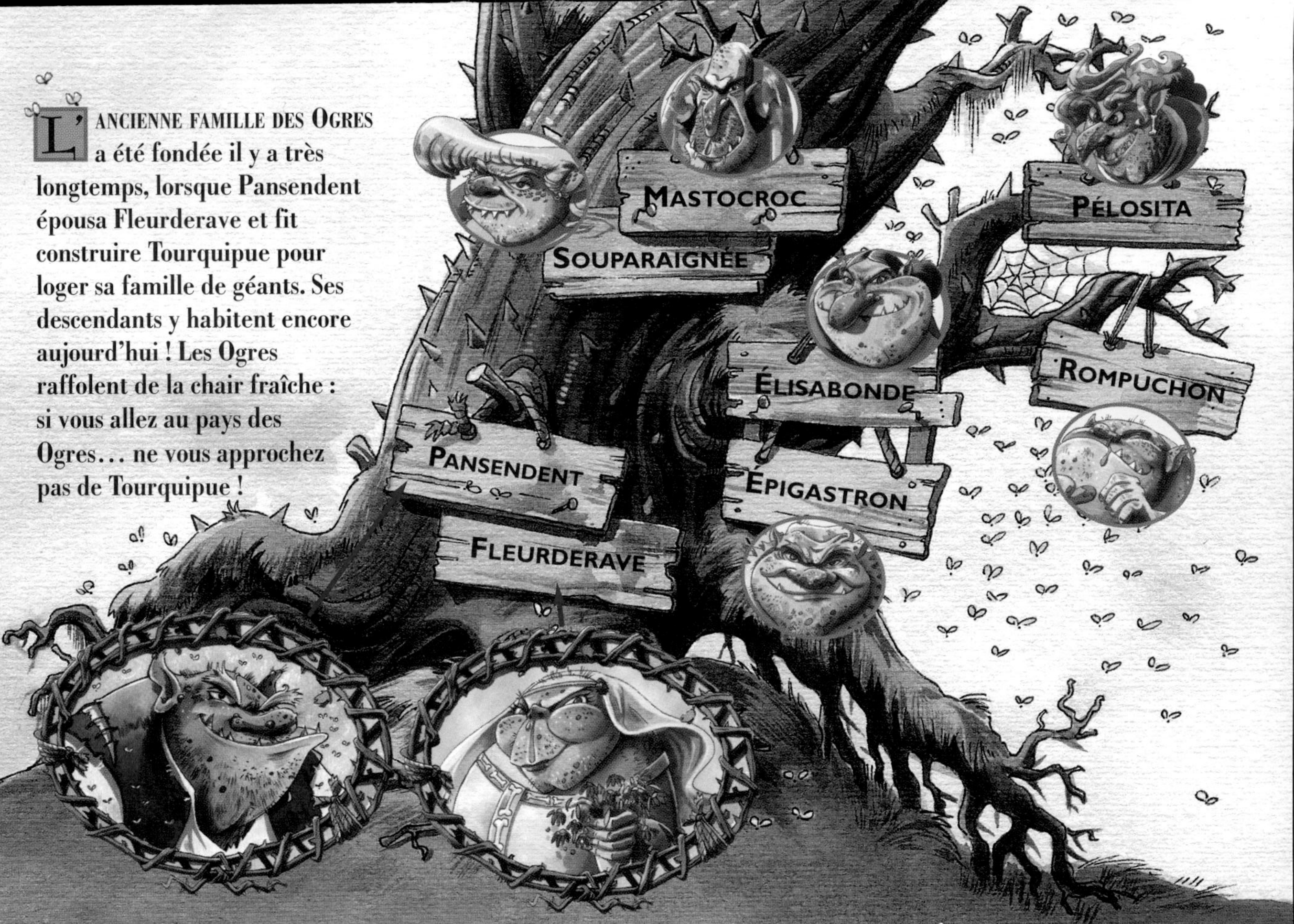

COURGEPELÉE

CROCANPANSE

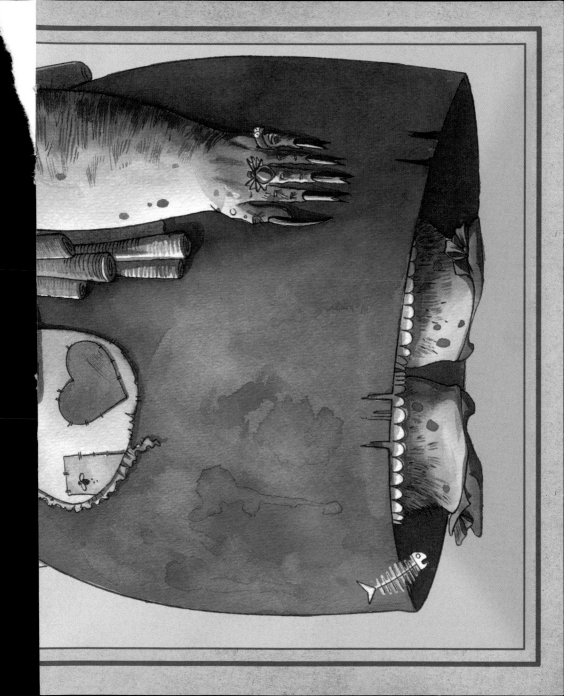

L'Ogresse rentra *(elle faisait des pas de cinq mètres de long !)*... traversa l'entrée *(aussi grande qu'un terrain de foot !)*... arriva dans la cuisine *(aussi grande qu'un théâtre !)*... alluma le feu dans la cheminée *(aussi grande qu'un camion !)*.

Je me cachai sous un buffet et une porte claqua : l'Ogre **COURGEPELÉE** était de retour !

HUM HUM ! ÇA SENT LA CHAIR DE SOURIS...

Puis Crocanpanse s'exclama :

– Alors, mon *gros* mari, comment s'est passée ta journée ?

– **Oumpf** ! Une bonne *grosse* journée ! tonna Courgepelée de sa *grosse* voix. Mais il fait froid dans cette *grosse* cuisine, ma *grosse* !

J'éternuai et l'Ogre hurla de sa *grosse* voix :

– **Oumpf** ! Qui a éternué ?

– Mon *gros* mari, c'est le vent qui doit souffler dans la *grosse* cheminée ! répondit l'Ogresse.

Je fis un mouvement et le buffet craqua.

L'Ogre hurla :

– **Oumpf** ! Qui a craqué ?

– Mon *gros* mari, ça doit être la *grosse* table de notre *grosse* cuisine !

— Geronimo

Quelle grosse miche !

Quel gros potage !

L'Ogre renifla l'air et bredouilla d'un air sombre :

– Hum hum ! Ça sent la chair de souris !

L'Ogresse répondit :

– Mon *gros* mari, ça doit être l'odeur de la *grosse* soupe aux *grosses* boulettes de viande !

– Pourtant, ça sent la chair de souris, snif snif snif !

L'Ogre ingurgita la *grosse* soupe servie dans une assiette aussi *grosse* qu'une piscine : *Slurp !*

Puis il essuya l'assiette avec une miche de pain aussi *grosse* qu'une montgolfière.

Il embrocha sur une *grosse* fourchette (qui ressemblait à une fourche à foin !) une *grosse* tranche de fromage d'une centaine de kilos et recracha la *grosse* croûte : *Splut !*

Puis il fit un petit rot (ou plutôt un *gros* rot) qui fit trembler les carreaux des fenêtres : *Burp !*

Il se nettoya ensuite les dents à l'aide d'un tronc de sapin en guise de cure-dent.

Enfin, il attrapa un gigantesque tonneau et

Quelle grosse fourchette !

engloutit cinquante litres d'eau d'un seul trait.
GLOUBBB !
Par mille mimolettes, comme il était mal élevé !
Quand il eut fini son repas, l'Ogre se leva et
s'approcha de la cheminée.
Il tira une énorme CLEF DORÉE de sa
ceinture et ouvrit la serrure d'un coffre...
dont il sortit un parchemin.
– Voilà mon trésor : la *carte du Bonheur* !
Elle est plus précieuse que l'or et elle est à moi, à
moi, à moiiii !
J'écarquillai les yeux : c'était donc là qu'était cachée
la CARTE DU BONHEUR !
L'Ogre marmonna :
– Oumpf ! Pourtant, ça sent la chair de souris !
Snif snif snif !
Puis il se coucha, s'endormit aussitôt et ronfla
comme un train à vapeur.

Ronf ronf rooonnnffffffffffffff !

Devine où se cache Geronimo Stilton ?

SOLUTION : Geronimo est caché au pied du buffet, près de l'Ogresse.

Je sortis de ma cachette...

... lui pris la clef...

... et repartis sur la pointe des pattes !

Dès que je fus sûr qu'il dormait, je sortis de ma cachette, m'approchai de l'Ogre et, avec d'infinies précautions, décrochai de sa ceinture la précieuse CLEF D'OR.

L'Ogre bâilla dans son SOMMEIL :
– Oumpf, oumpf, oumpf...
Et s'il se réveillait...
Heureusement, il se retourna et recommença à ronfler :
– Ronf, ronf, ronffffffff !
Sur la pointe des pattes, je m'approchai du coffre.
Je donnai un tour de clef dans la serrure, en essayant de faire le moins de bruit possible.

Puis j'essayai de soulever le couvercle du coffre. Comme il était **LOURD** !

J'attrapai le parchemin et... soudain, le lourd couvercle se referma d'un coup sur ma queue !

Je hurlai :

– Aïïïïïïε *!*

L'Ogre se réveilla en sursaut, tonnant de sa *grosse* voix :

– Qui a osé me réveiller ?

Puis il me vit et **HURLA** :

– Toi, souriceau de mes deux bottes ! Comment as-tu osé entrer dans ma tour ? Si je t'attrape, **je te hache menu comme de la chair à pâté**, je te mâchouille de la pointe de la queue à la pointe des moustaches, je te ronge jusqu'au dernier **OSSELET** !

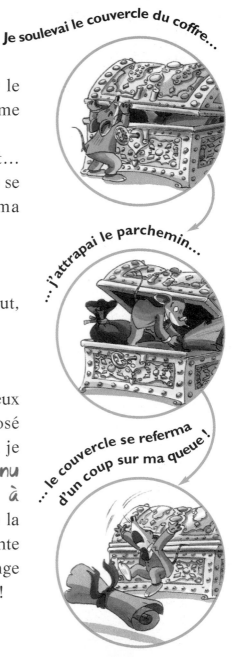

Je soulevai le couvercle du coffre...

...j'attrapai le parchemin...

...le couvercle se referma d'un coup sur ma queue !

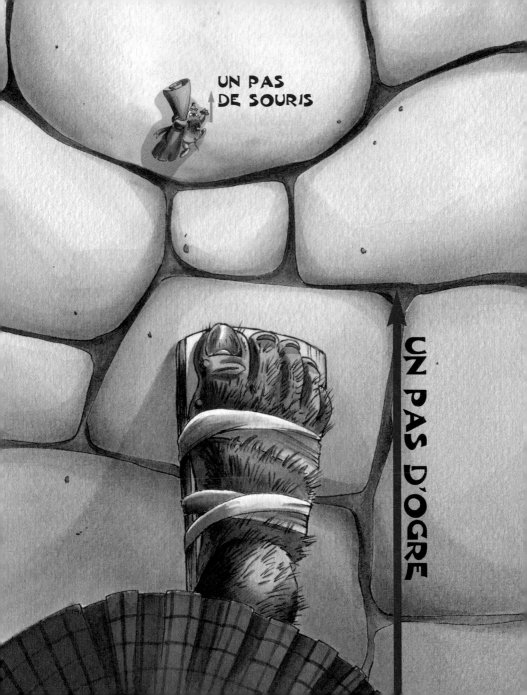

J'attrapai la CARTE DU BONHEUR, je sautai à bas du coffre et **COURUS** en direction de la porte.

L'Ogre courait, lui aussi, mais il faisait des pas d'Ogre... et moi, des pas de souris !

Hélas hélas hélas !

Au moment même où l'Ogre allait me barrer le passage, je bondis et… sautai au-dehors !

Avant que je n'aie eu le temps de dire « scouit », une patte aux griffes dorées m'attrapa et me souleva dans les airs.

Je levai la tête et criai : Merci, ami Dragon !

L'Ogre et l'Ogresse hurlaient, fous de rage, en brandissant les poings, mais il était trop tard.

Nous volions déjà vers le CŒUR DU BONHEUR !

Nous volions déjà... vers le CŒUR DU BONHEUR !

LA CARTE
DU BONHEUR

Nous volions, libres, dans le ciel et mes moustaches se tortillaient dans le vent. Je déroulai la *carte du Bonheur* et la montrai fièrement à mes amis.

Pustule s'écria :

– Mais c'est la vraie CARTE DU BONHEUR... la carte des cartes !

L'oie cacarda :

– La fameuse CARTE DU BONHEUR? *Coua-coua-coua...* Quelle merveille !

Aurore griffonna un billet...

VIVE LA CARTE
DU BONHEUR !

ROYAUME
DES FÉES

ROYAUME
DES ELFES

PAYS DES
OGRES

PAYS DES
DESSERTS

PAYS DES
FANTÔMES

PAYS DES
ILLUSIONS

Carte du Bonheur

J'étudiai le parchemin : l'itinéraire commençait dans le royaume des Fées,

continuait dans le pays des Ogres,

se poursuivait dans le **pays des Desserts**,

dans le PAYS DES JOUETS,

dans la **VALLÉE DES OREILLERS**,

dans le PAYS DE L'OR,

et enfin dans le pays des Contes !

Par mille mimolettes !

Surpris, je demandai à Pustule :

– *Par mille mimolettes !* Pourquoi n'ai-je pas visité ces drôles de pays lors de mon précédent voyage au ROYAUME DE LA FANTAISIE ?

Pustule ricana d'un air malin et répondit :

– Parce que le ROYAUME DE LA FANTAISIE est très grand !

Tous mes amis de la Compagnie du Bonheur le confirmèrent :

– Oui, le royaume de la Fantaisie est très grand. Il est même infini, parce que les mondes que la Fantaisie peut créer sont infinis !

C'est alors que Pustule hurla :

– Hum hum hum, terre... TEEEEEEERRE !

TEEEEEEERRE !

TEEEEEEERRE !

Le vent nous apporta un enivrant parfum de…

Chocolat !

Nous survolions le **pays des Desserts**.

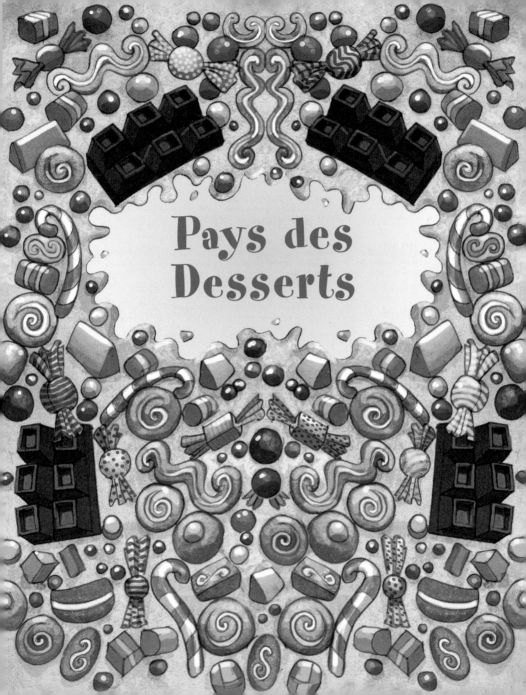

Pays des
Desserts

1. MONT DE GLACE
2. VOLCAN DE CACAO
3. CHÂTEAUCHOCOLAT
4. MONTAGNE DE PÉPITES DE CHOCOLAT
5. VILLE DE GOURMAND
6. COLLINE DE BEIGNET
7. BOIS DE RAISINSEC
8. PLAINE DE PÂTEFEUILLETÉE
9. BOURG DE MASSEPAIN
10. LAC DE LIMONADE
11. FORÊT DE PAINDÉPICE
12. FLEUVE DE L'INDIGESTION
13. TOUR DU NOUGAT
14. MONT DE CRÈME CHANTILLY
15. PIC SORBET
16. FONTAINE DE JUS D'ORANGE
17. GROTTE DES CARIES
18. MONT MERINGUE
19. ESCALIER DES DRAGÉES
20. DÉSERT DES BONBONS
21. VILLE DE CONFISERIE
22. VALLÉE DES GRIOTTES

LE PAYS D'OÙ ON REVIENT GRAS !

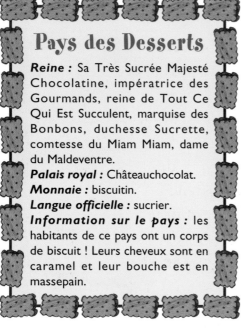

Pays des Desserts

Reine : Sa Très Sucrée Majesté Chocolatine, impératrice des Gourmands, reine de Tout Ce Qui Est Succulent, marquise des Bonbons, duchesse Sucrette, comtesse du Miam Miam, dame du Maldeventre.

Palais royal : Châteauchocolat.

Monnaie : biscuitin.

Langue officielle : sucrier.

Information sur le pays : les habitants de ce pays ont un corps de biscuit ! Leurs cheveux sont en caramel et leur bouche est en massepain.

Le soleil était très bas sur l'horizon quand le Dragon entama une lente descente vers le **pays des Desserts**. Je regardai en bas, émerveillé… Je découvrais des fleuves d'orangeade, des lacs de limonade et un glacier de sorbet à la MENTHE ! Le pays était habité par de sympathiques

et drôles de **PETITS HOMMES** et **PETITES FEMMES DE BISCUIT** !

Je vis un volcan d'où coulait de temps en temps du **CHOCOLAT** fondu. Et il y avait un lac sur lequel voguait une barque de **génoise** !

Voici un désert de **bonbons** ! Parmi des nuages de **BARBE À PAPA** volait un avion en **fruits confits** !

Nous atterrîmes dans la VILLE DE CONFISERIE.

Je flânai entre les petites maisons de **massepain** et les gratte-ciel de **NOUGAT**. Je vis une bicyclette de **réglisse** et une automobile de **BISCUIT** !

Au cours de ma promenade... *je trouvai une clef de cristal : bizarre bizarre !* (voir page 136-137)

Un petit homme de biscuit et une maisonnette à manger !

Nous quittâmes la VILLE DE CONFISERIE et traversâmes la FORÊT DE PAINDÉPICE.

Le caméléon s'exclama, tout heureux :

– *Miam !* Ici, c'est le pays préféré de Pustule !

Puis il fit un plongeon dans le LAC DE LIMONADE, en riant :

– Les bulles me chatouillent !

Nous arrivâmes enfin au BOURG DE MASSEPAIN.

Pustule se jeta sur une maisonnette :

– *Miam !*

Pendant qu'il se régalait… *je trouvai une clef de cristal : bizarre bizarre !*

Un **PETIT HOMME DE BISCUIT** parut à la fenêtre et protesta :

– Dis donc, toi, tu ne peux pas aller goûter ailleurs ?

Pustule lécha une miette restée au coin de sa bouche.

– *Miam*, ta maison a un petit goût délicieux…

Le petit homme se fâcha :

– Laisse *ma* maison tranquille !

Pustule se gava de friandises.

– Je ne fais que goûter… *Miam ! Miam miam ! Miam miam miam ! Miamiamiamiamiamiamiammm !*

Et il repartit en massant son ventre rond.

– J'ai mangé une **DIZAINE** de tartes à la crème Chantilly… une **DOUZAINE** de glaces… une **CENTAINE** de biscuits… un **KILO** de chocolats… **CENT KILOS** de bonbons… **BURP !**

Oscar tendit un petit gâteau en forme de cœur à Aurore.

– C'est pour toi ! Pauvre petite, tu es si jolie, mais si triste. Tu as dû beaucoup souffrir !

L'oie le fit taire :

– Qu'est-ce que tu sais des princesses et de la tristesse ? Tu n'es qu'un cafard !

– Je ne m'y connais peut-être pas en *princesses*, mais je sais ce que c'est que la *souffrance* ! J'ai eu une vie difficile, et c'est pour ça que quand je vois quelqu'un souffrir… j'essaie de l'aider !

Nous entrâmes dans un hôtel aux murs de bonbon.
J'ouvris la fenêtre et je regardai au dehors.
En me penchant par la fenêtre... *je trouvai une clef*
de cristal : bizarre bizarre ! (voir pages 142-143)

DES GODILLOTS...
EN CHOCOLAT !

Le lendemain, Pustule se plaignit :
– Ouille ouille ouille ! J'AI MAL AU VEEENTRE !
L'oie arriva avec une seringue.
– C'est que tu as mangé trop de sucreries et que tu fais une indigestion ! Je vais te faire une piqûre !
Pustule se sauva.

– Non, pas de piqûre !
Puis il hurla :
– Ouille ouille ouille ! J'AI MAL AUX DEEENTS !
L'oie arriva avec une paire de tenailles.
– C'est que tu ne t'es pas brossé les dents et que tu as une **CARIE** !
Je vais t'arracher la dent !
Pustule se sauva.

LA CARIE EST...
... un petit trou qui se forme dans la partie dure de la dent à cause de petits organismes : les bactéries ! Pour les combattre, il faut se brosser les dents après tous les repas, ne pas manger trop de sucre, aller régulièrement chez le dentiste !

– Non, pas les tenailles !

Pendant qu'ils se disputaient, Oscar dit d'un air inquiet :

– Demain, nous partirons à l'aube pour aller chez la

REINE CHOCOLATINE !

– Où se trouve le palais royal ? demandai-je, curieux.

– Au sommet de la MONTAGNE DE PÉPITES DE CHOCO-LAT ! Il doit y faire très froid. Nous devons nous procurer un équipement d'alpiniste.

Mais quand nous cherchâmes le nécessaire, nous découvrîmes que, dans ce pays bizarre, tout était fait en **sucre**… même les vestes, les godillots et les cordes !

Veste rembourrée de papiers de bonbon !

Bonnet et écharpe en barbe à papa !

Godillots en chocolat !

Corde en réglisse !

Nous commençâmes l'escalade de la MONTAGNE DE PÉPITES DE CHOCOLAT.

Quel froid ! J'avais les moustaches couvertes de glaçons ! Nous marchâmes dans la neige, montant et descendant et montant et descendant et montant et descendant toute la journée. Je réfléchissais : le PAYS DES DESSERTS paraissait merveilleux, mais... je sentais **UN GRAND VIDE DANS MON CŒUR !**

Le soir, nous nous arrêtâmes pour dormir. Nous allumâmes le feu et fîmes fondre un peu de glace aux pépites de chocolat pour le boire, comme font les alpinistes avec la neige.

SI TU AS UN PROBLÈME...
Souvent, ceux qui sont malheureux mangent trop... ou ne mangent pas du tout, pour compenser la tristesse qu'ils éprouvent. Le premier trouble s'appelle la boulimie, le second l'anorexie.
Si tu as un problème d'alimentation, parles-en sans tarder avec ta maman et ton papa, avec ta maîtresse, avec tes amis. Ils t'aideront !

Montant et descendant et montant et descendant et montant et descendant et montant et descendant et montant et descendant et montant et descendant et montant et descendant et montant et descendant

Avec les dernières gouttes d'eau de la gourde, je me lavai les dents. Nous autres, les rongeurs, nous savons combien il est **important** d'avoir des dents *saines et fortes...* parce qu'elles sont ainsi plus *belles* !

Pendant que je me brossais les dents... *je trouvai une clef de cristal : bizarre bizarre !*

Devine où se cache LA CLEF DE CRISTAL ?

MIETTES...
DE BONHEUR !

nous reprîmes l'escalade

Le lendemain matin, dès l'aube, de la MONTAGNE DE PÉPITES DE CHOCOLAT.

Il faisait vraiment **froid** maintenant, et nous étions épuisés !

Pour lutter contre notre fatigue, je proposai :

– Mes amis, organisons un concours de **BLAGUES**.

C'est à celui qui racontera la plus drôle !

C'est Oscar qui commença :

– Vous connaissez celle des petites tomates ?

Tout le monde se roula par terre, plié en

UNE FAMILLE DE TOMATES SE PROMÈNE DANS LA RUE. LE PAPA S'APERÇOIT QUE SON FILS EST DISTRAIT ET NE CESSE DE TRÉBUCHER.
– FAIS ATTENTION, LUI DIT-IL, ESSAIE D'ÊTRE PLUS...
CONCENTRÉ !

deux de rire ! Tout le monde... sauf Aurore : la princesse ne riait pas.

L'oie soupira :

– Elle n'a pas le sens de l'humour, celle-là !

Oscar la défendit :

– Je ne suis pas vexé si mes blagues ne font pas rire Aurore... Ce n'est qu'une question de temps. Un jour, elle aussi rira, comme nous tous !

Pustule s'exclama :

– À mon tour !

Tout le monde applaudit :

– Bravo, Pustuuuule !!!

PAPA HOMARD, QUI, COMME TOUS LES HOMARDS, AVANCE À RECULONS, GRONDE SON FILS QUI A EU UNE MAUVAISE NOTE À L'ÉCOLE :
– TU NE PEUX PAS CONTINUER COMME ÇA !

Puis l'oie s'exclama :
– À moi !

MAMAN SERPENT A ACHETÉ UN CADEAU POUR L'ANNIVERSAIRE DE SON FILS. IL S'ENROULE AUTOUR DU PAQUET ET REGARDE LE RUBAN :
– C'EST TELLEMENT GENTIL, MAMAN, D'AVOIR INVITÉ UN CAMARADE POUR MON ANNIVERSAIRE !

Je m'écriai :
– Écoutez tous, j'en connais une formidable !

AU TRIBUNAL, UNE BANANE S'ADRESSE AU JUGE :
– JE NE PARLERAI QU'EN PRÉSENCE DE MON… AVOCAT !

Le Dragon de l'Arc-en-ciel voulait aussi participer au concours et proposa une série de devinettes…

QUEL EST LE COMBLE POUR UNE FRAMBOISE ? FAIRE UNE DÉCLARATION *D'AMOUR À UNE MÛRE.*

QUE FAIT UN ÉLÉPHANT AVEC LES PATTES EN L'AIR ? *DES CROCHE-PIEDS AUX MOUSTIQUES !*

QUEL EST L'ANIMAL QUI N'EST PAS SI BÊTE QU'IL EN A L'AIR ? *LE FAU...CON !*

QUEL EST LE COMBLE POUR DES FEUILLES EN AUTOMNE ? TOMBER DE L'ARBRE PARCE QU'ELLES EN ONT MARRE.

Ha ha ha ! Hi hi hi !
Hé hé hé ! Hou hou hou !
Ho ho ho !

Pustule était mort de rire :
– Ho ho ho, *très* drôle !
Il riait tellement qu'il ne vit pas qu'il y avait une crevasse devant lui et... il tomba !

J'AI TOUJOURS ÉTÉ UN GARS, OU PLUTÔT UN RAT, UN PEU FROUSSARD...

Je me penchai sur la *profonde crevasse* et criai d'une voix très forte :

– Pustuuuuuuuuuuuuuuuuuuuuuuule !

Mais personne ne répondit.

Oscar s'exclama :

– Il faut descendre le chercher !

L'oie soupira :

– S'il avait fait plus attention, ça ne serait pas arrivé. Moi, je dis toujours que...

Je la coupai :

– Madame, nous sommes dans une situation d'**URGENCE** ! Je vais descendre, attaché à une corde. Les amis de la Compagnie du Bonheur me retiendront !

Oscar me serra la patte.

– Courage, mon ami. Tu y arriveras ! Tu n'es pas seul, la COMPAGNIE est avec toi !

Tandis que je descendais dans la crevasse... *je trouvai une clef de cristal : bizarre bizarre !*

J'avais les moustaches qui tremblaient de frousse.

Euh, depuis tout petit, je suis un gars, *ou plutôt un rat*, très trouillard.

Mais j'avais beau avoir **PEUR**... mon *amitié* pour Pustule fut plus forte !

Les parois de glace craquaient dangereusement : SCRIC SCRIC SCRIC !

D'en haut, Oscar me prévint :

– Dépêche-toi, Geronimo, la crevasse se referme !

Enfin, j'arrivai au fond.

– Comment ça va, mon ami ?

Pustule murmura :

– Au secouuuuurs !

Je l'attachai à la corde et criai aux autres de le remonter. Après un laps de temps qui me parut interminable, Pustule arriva en haut. C'était maintenant à *moi* de remonter ! Y arriverais-je ? Ou allais-je m'écraser comme une crêpe ?

La crevasse continuait de craquer : SCRIC !

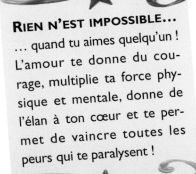

RIEN N'EST IMPOSSIBLE...
... quand tu aimes quelqu'un ! L'amour te donne du courage, multiplie ta force physique et mentale, donne de l'élan à ton cœur et te permet de vaincre toutes les peurs qui te paralysent !

Je sortis au moment même où la glace se refermait. Ouf ! *il s'en était fallu d'un poil…*

QUELLE AVENTURE ASSOURISSANTE !

Tandis que j'embrassais le pauvre Pustule… *je trouvai une clef de cristal : bizarre bizarre !*

Devine où se cache **LA CLEF DE CRISTAL ?**

C'est beau…

… l'amitié !

À LA COUR
DE LA REINE
CHOCOLATINE !

Loin loin loin, nous vîmes le sommet de la montagne. Et voici le palais royal : **CHÂTEAUCHOCOLAT** !

En suivant un sentier de nougatine, nous arrivâmes au château, décoré de **bonbons**.

Il était entouré de profondes douves remplies d'une substance dorée... *du miel !*

Nous glissâmes dedans et ressortîmes tout *poisseux* !

Un page en biscuit s'approcha et, en nous voyant, abaissa lentement le pont-levis de chocolat.

Une rangée de pages en biscuit s'exclama en chœur :

– *Qui êtes-vous ? Que voulez-vous ? Pourquoi êtes-vous là ? D'où venez-vous ?*

Devine où se cache
LA CLEF DE
CRISTAL ?

Euh, du miel ?

Pendant que le miel s'égouttait... *je trouvai une clef de cristal : bizarre bizarre !* (voir page 157)

Je criai :

– Ouvrez ! Mon nom est Stilton, *Geronimo Stilton*. Nous sommes la COMPAGNIE DU BONHEUR. Nous devons rencontrer la reine des Desserts !

Mais pourquoi le fossé est-il rempli de *miel* ?

Un autre page éclata de rire :

– C'est notre **ANTIVOL**. Si vous saviez le nombre de petits malins que nous avons arrêtés grâce à cela !

Un autre page ouvrit la grande porte de **réglisse** :

– Entrez donc, mais que le Dragon reste dehors. La dernière fois qu'un Dragon est entré ici, il a fait fondre le **SALON DE CHOCOLAT** d'une seule flamme !

Je protestai :

– Le Dragon fait partie de notre COMPAGNIE. S'il ne peut pas entrer... aucun de nous n'entrera !

grande porte de réglisse

fontaine
de sirop
de rose

Un autre page marmonna :

– Hum, dans ce cas, il assistera à l'entrevue sur le balcon !

Un autre page nous conduisit dans un salon où une fontaine crachait du **sirop de rose**. Par la fenêtre, je vis le Dragon, qui me fit un clin d'œil. Moi aussi, je lui fis un clin d'œil : maintenant, la COMPAGNIE DU BONHEUR était au complet !

Pendant que je m'inclinais devant la **REINE CHOCOLATINE**... *je trouvai une clef de cristal : bizarre bizarre !* (voir pages 160-161)

– *Majesté très sucrée,* savez-vous si le CŒUR DU BONHEUR se trouve dans votre pays ?

– Je te répondrai, mais d'abord, il faut que tu subisses une épreuve !

Tous les pages s'exclamèrent en chœur :

– *L'étranger doit d'abord subir une épreuve !*

L'é... tran... ger... doit... d'abord... su... bir... une... é... preuve !

UNE ÉPREUVE...
TRÈS DIFFICILE !

La reine se lécha les lèvres.

– C'est une épreuve **TRÈS DIFFICILE**. Tu vas me préparer un gâteau que je n'ai jamais goûté ! Mais attention, je connais *tous tous tous* les gâteaux du monde !

Je réfléchis longuement.

– Il y a un gâteau que nous préparons à Sourisia, dans l'île des Souris... ça s'appelle la *tarte fromageuse* !

JE ME PRÉCIPITAI aux cuisines et me mis à la préparer.

Quand, enfin, la tarte fut prête, je la tendis à **CHOCOLATINE** en m'inclinant.

Elle la goûta, pendant que toute la cour l'observait en silence, le souffle suspendu.

Chocolatine marmonna :

– Mmh... Mmh... Mmh...

J'avais les moustaches qui vibraient de frousse.

Et si mon gâteau ne lui plaisait pas ?

La reine lança la tarte sur la figure du cuisinier royal.

– Pourquoi ne m'as-tu jamais préparé ce gâteau de l'île des Souris ? **Pourquoi ? Pourquoi pourquoi pourquoi pourquoi ? Pourquoiiiiiiii ?**

Le cuisinier bredouilla :

– M-mais je ne savais même pas qu'il y avait une île des Souris…

Je pris sa défense :

– *Exquise Majesté,* le cuisinier royal ne pouvait pas connaître cette *recette,* car c'est un S E C R E T que les rongeurs gardent jalousement !

Chocolatine déclara au cuisinier :

– Je te pardonne, mais tu dois désormais me préparer cette tarte *tous* les jours. Compris ?

Pourquoi ne m'as-tu jamais préparé cette tarte de l'île des Souris ?

Splouttt !

Le cuisinier bafouilla :

– M-mais, comment pourrai-je préparer cette tarte ? Le **CÉLÈBRE** cuisinier qui vient de si loin voudra sûrement garder **SECRÈTE** cette précieuse **RECETTE** !

Je souris.

– J'aime partager ce que je sais avec mes *amis*. J'aime enseigner aux autres ce que j'ai appris. Je vais t'apprendre la recette !

Il était ému.

– Merci, tu es un véritable ami !

Nous allâmes ensemble aux cuisines... et commençâmes à préparer cette tarte.

Pendant que je cuisinais... *je trouvai une clef de cristal : bizarre bizarre !*

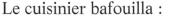

TARTE FROMAGEUSE

Ingrédients pour 8 personnes
POUR LA BASE EN BISCUIT : 200 g de petits-beurres – 150 g de beurre fondu – 50 g d'amandes émondées – 50 g de noisettes pelées.
POUR LA FARCE : 450 g de ricotta – 200 g de crème fouettée – 50 g de chocolat noir – 80 g de sucre glace – eau de fleur d'oranger

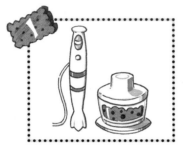

Demande à un adulte de broyer au mixer les biscuits, les amandes et les noisettes.

Verse le mélange dans un bol, ajoute le beurre fondu et pétris.

Étends une feuille de papier sulfurisé sur le fond d'un moule de 21 cm de diamètre.

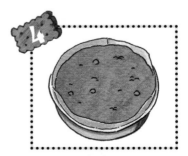

Verse le mélange dans le moule de manière uniforme. Place au réfrigérateur.

5

Dans un bol, mélange la ricotta avec le sucre glace et l'eau de fleur d'oranger.

6

Ajoute la crème fouettée à la ricotta et mélange délicatement.

7

Retire la tarte du moule et recouvre-la d'une couche de crème de ricotta.

8

Demande à un adulte de faire fondre le chocolat au bain-marie, puis verse-le dans une poche de pâtissier.

9

Appuie sur la poche pour faire sortir le chocolat et décore la tarte (par exemple, avec une étoile).

10

Place le tout au réfrigérateur jusqu'à ce que le chocolat soit solidifié, puis sers la tarte et... bon appétit !

LA SALLE
DU CHOCOTRÉSOR !

Je quittai les cuisines et retournai auprès de la reine.

– Majesté, j'ai réussi l'épreuve. Pouvez-vous me dire si le **Cœur du Bonheur** se trouve dans votre pays ?

Elle s'exclama :

– Rongeur, voici la réponse : le CŒUR DU BONHEUR ne se trouve pas au **pays des Desserts**. Mais je te garderai tout de même avec moi, car je veux que tu deviennes mon cuisinier attitré.

Je refusai :

– Je regrette, Majesté. Il me faut repartir !

Elle cria :

– Je saurai te persuader de rester !

Elle prit une clef qu'elle portait jalousement autour du cou.

– Suis-moi... Je vais te montrer la salle du **CHOCOTRÉSOR** !

Nous descendîmes un escalier et nous retrouvâmes devant une porte blindée.

La reine l'ouvrit et nous découvrîmes une mon- tagne de **LINGOTS** dorés qui scintillaient...

J'étais ébahi.

La reine expliqua fièrement :

– Voici le **CHOCOTRÉSOR** ! Ce sont des milliers de milliers de milliers de chocolats 100 % pur cacao, enveloppés dans de la feuille d'or ! Renifle, rongeur, sens ce parfum de **CHOCOLAT** !

Je reniflai : – **QUEL PARFUM DÉLICIEUX !**

La reine essaya de me convaincre :

– Si tu restes ici avec moi, je te donnerai tout mon trésor !

– Majesté, j'ai une importante mission à accomplir, qui m'a été confiée par la reine des Fées... et je dois repartir !

Elle se mit en colère :

– Comment oses-tu me dire non, rongeur ?

VOICI LE
CHOCOTRÉSOR !

À cet instant précis, la terre trembla et tout le
monde se mit à hurler :

– C'est le VOLCAN DE CACAO qui se réveille !

Nous sortîmes du château en courant ; un fleuve de
CHOCOLAT FONDU s'écoulait du cratère.

Profitant de la confusion, nous nous envolâmes sur
le dos du Dragon pendant que la reine criait :

– Reviens, rongeur, tu dois cuisiner pour moiiiiii !

Mais nous étions déjà en route pour le…

 PAYS DES JOUETS !

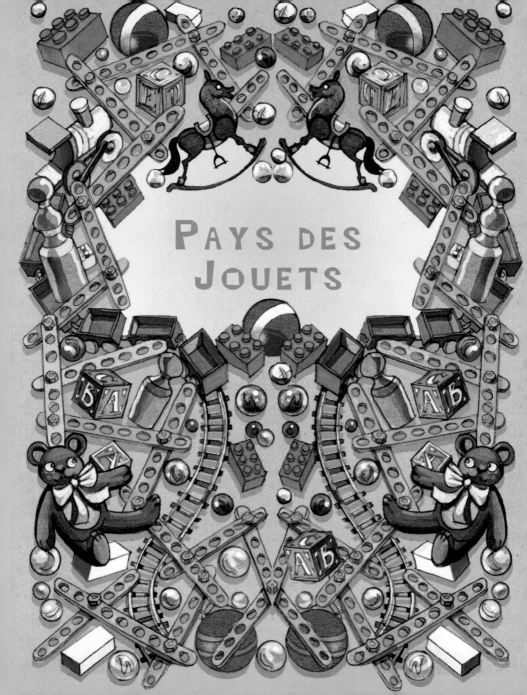

PAYS DES
JOUETS

PAYS DES JOUETS

VIVE LE PAYS DES JOUETS !

Après notre atterrissage au multicolore **PAYS DES JOUETS**, Oscar resta bouche bée.
– J'ai toujours rêvé de visiter ce pays ! Quand j'étai petit, je n'avais pas de jouet…
Dans une gracieuse **MAISON DE POUPÉE** vivait une foule de poupées au délicat visage de porcelaine !

Pustule sauta sur un **PETIT TRAIN**.

– Tchou tchou ! Tchou tchou ! Tchou tchou ! C'est amusant, *très* amusant !

Et voici des petites voitures **mécaniques** ou **TÉLÉGUIDÉES** !

Un plan d'eau était sillonné par des **hors-bord** commandés à distance !

Dans le ciel bleu volaient des **PETITS AVIONS** radioguidés !

Pendant que je me promenais... *je trouvai une clef de cristal : bizarre bizarre !*

(voir pages 178-179)

PAYS DES JOUETS

Roi : Sa Très Rigolote Majesté Ludo IV, seigneur des Blagues, prince des Farces, grand-duc d'Écheckématt.

Palais royal : Casteljoujou.

Monnaie : ludor.

Langue officielle : joujoul.

Informations sur le pays : ses habitants sont tous des jouets et passent leur temps à s'amuser.

Devine où se cache
LA CLEF DE
CRISTAL ?

UNE LARME
DE BOIS

Je remarquai de drôles de petites choses par terre : des **LARMES** de bois ! Intrigué, je les suivis et j'arrivai devant une **USINE** de jouets. En y entrant... *je trouvai une clef de cristal : bizarre bizarre !*

C'est un cheval à bascule qui pleurait ces **LARMES** de bois ! Je lui demandai :

– Pourquoi pleures-tu ?

Il sanglota :

– Parce que je suis un jouet inutile. Personne ne m'aime plus !

Puis il me raconta son histoire...

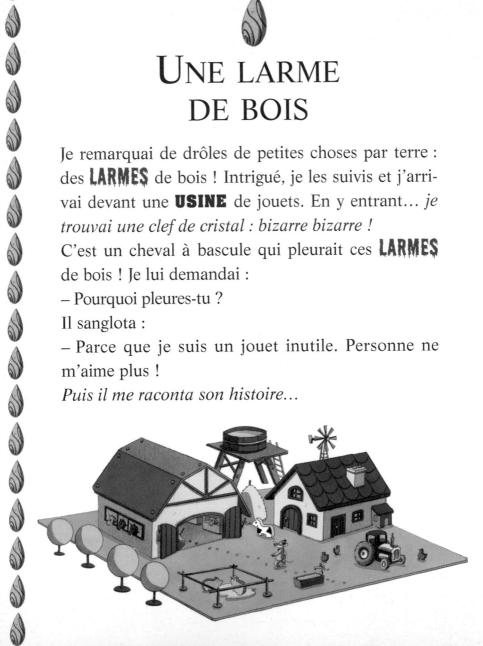

Devine où se cache LA CLEF DE CRISTAL ?

Histoire de Foudre

Mon nom est Foudre.

Il y a des années de cela, il n'y avait pas de jouets en plastique ou électroniques. Les enfants jouaient avec des poupées de chiffon, des petits trains en fer-blanc et des chevaux à bascule... comme moi !

J'appartenais à un petit garçon prénommé Pierre.

Il ne se lassait pas de jouer avec moi : ensemble, nous rêvions de galoper aussi vite que le vent dans les prairies de la fantaisie ! J'aimais beaucoup Pierre.

Hélas ! petit à petit, il est devenu trop grand pour jouer avec moi. La maman de Pierre m'a rangé au grenier.

– Ce cheval ne sert plus à rien !

Un jour, le papa de Pierre est monté au grenier. En déplaçant un meuble, il a cassé ma bascule.

Je ne pouvais plus basculer...

Puis la famille de Pierre a déménagé. Ils ont emporté tout ce qu'il y avait dans le grenier... tout, sauf moi : je n'étais plus qu'un vieux bout de bois encombrant !

On m'a jeté dans la benne à ordures.

Mais je me suis traîné jusqu'ici et me suis caché dans l'écurie. Et j'ai pleuré. Oh, j'ai pleuré longtemps...

Autrefois, j'étais le fier et rapide Foudre... Aujourd'hui, je ne suis qu'un vieux morceau de bois oublié.

Voilà ma triste histoire !

J'appelai la Compagnie du Bonheur.
Nous fîmes cercle autour de **Foudre**.
Oscar sourit.

– Je vais te réparer, moi, et tu redeviendras comme avant, et même *mieux* qu'avant !

Il prit des clous, un marteau, de la colle, des pinceaux et de la peinture.

Puis, avec une patience infinie, il recloua la bascule cassée du cheval… colla de nouvelles brides en cordelette… repeignit la selle en **ROUGE**, la crinière en **MARRON**, les yeux en **BLEU** !

Foudre poussa un hennissement :

– Hourra ! Vous m'avez offert une **nouvelle** vie !

Jouer ensemble

Jouer seul, ce n'est pas amusant. Le bonheur, ce n'est pas d'avoir un tas de jouets… mais plein d'amis avec qui jouer !
Essaie de prêter tes jouets aux autres, c'est une bonne manière de se faire des amis !

UN ROI
POUR RIRE !

Nous nous remîmes en route et arrivâmes à CASTELJOUJOU.

Des soldats de plomb nous barrèrent la route.

– Halte-là ! Qui va là ?

– Mon nom est Stilton, *Geronimo Stilton*. Je demande à voir le roi du PAYS DES JOUETS !

Pendant qu'on nous introduisait dans la salle du trône… *je trouvai une clef de cristal : bizarre bizarre !* Je m'inclinai devant le **roi Ludo**.

   – Majesté, savez-vous si le CŒUR DU BONHEUR se trouve dans votre pays ?

   Il me dévisagea à l'aide d'une loupe.

   – Quelle belle PELUCHE !

   – Majesté, je ne suis pas une peluche. Mon nom est Stilton, *Geronimo Stilton*.

– Stilton ? Peluche Stilton ? Jamais entendu parler de cette marque de peluches. Quoi qu'il en soit,

c'est de la très bonne qualité. On ne voit même pas les COUTURES...

Je protestai :

– Évidemment qu'on ne voit pas les coutures, je suis *une souris en chair et en os !*

Il me tira les moustaches, puis la queue.

– Ça ne peut pas être de la fourrure synthétique, c'est trop doux...

Je hurlai :

– Bas les pattes ! Majesté, voulez-vous bien répondre à ma question, je vous prie ?

Pensif, le roi des Jouets fit la moue.

– Je vais te répondre, souris, mais avant, tu vas jouer avec moi... **LA GRANDE PARTIE D'ÉCHECS !**

Tous les jouets s'exclamèrent :

– Personne n'a jamais battu le **roi Ludo** au jeu d'échecs !

LA GRANDE PARTIE D'ÉCHECS !

Je balbutiai :

– Euh, une partie d'échecs ?

Par mille mimolettes, grand-père Honoré m'avait appris à y jouer quand j'étais petit. J'acceptai de relever le défi !

Les pièces blanches et noires prirent place sur l'**énorme** échiquier.

Grand-père Honoré

Bravo, petit !

Geronimo enfant

J'écarquillai les yeux : c'étaient des pièces VIVANTES !

Le **roi Ludo** annonça solennellement :

– Je prends les BLANCS, et toi les **NOIRS** ! Que **LA GRANDE PARTIE D'ÉCHECS** commence !

LA PARTIE D'ÉCHECS AVEC DES PERSONNAGES VIVANTS

En 1454, deux nobles jeunes gens tombèrent amoureux de la ravissante fille du châtelain de Marostica, petite ville d'Italie dans la région de Venise. Comme les duels étaient interdits, ils décidèrent de se départager par une partie d'échecs. La rencontre se déroula sur la place du château, avec des « pièces » vivantes. En 1954, le maire de la ville fit paver la place de manière à créer un immense échiquier pour représenter ce fameux défi. Depuis, tous les deux ans, on rejoue la partie à Marostica !

Apprenez à jouer aux échecs

L'échiquier, carré, comporte 64 cases. Il doit être placé de manière que la case en bas à droite soit blanche.

Ce sont les blancs qui commencent à jouer.

Disposition des pièces sur l'échiquier

Chaque pièce doit être posée sur une case.

PREMIÈRE RANGÉE HORIZONTALE : en partant de chaque extrémité et en allant vers l'intérieur, on place une tour, un cavalier et un fou ; au centre, le roi et la dame (la dame doit être placée sur une case de la même couleur qu'elle).

DEUXIÈME RANGÉE HORIZONTALE : tous les pions.

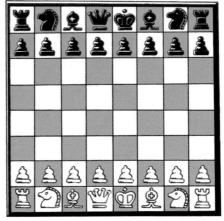

La marche des pièces

Chaque pièce doit être positionnée sur une case : elle ne peut pas être à cheval sur deux cases. Elle ne peut pas passer par-dessus une case occupée par une autre pièce (à l'exception du cavalier). Elle ne peut pas s'arrêter sur une case occupée par une pièce de la même couleur. Si une pièce s'arrête sur une case occupée par une pièce de la couleur opposée, elle « mange » cette pièce et la fait sortir de l'échiquier. On peut prendre toutes les pièces, sauf le roi.

Roi : il avance d'une case à la fois, dans toutes les directions. Lorsqu'il est pris au piège, on dit qu'il est « échec » et il doit se libérer. S'il ne peut plus bouger sans se faire capturer, il est « échec et mat » et la partie est terminée.

Dame : elle se déplace d'un nombre quelconque de cases dans toutes les directions (horizontale, verticale et diagonale),

mais sans changer de direction pendant un même déplacement.

Tour : elle se déplace d'un nombre quelconque de cases horizontalement et verticalement (de haut en bas et de droite à gauche).

Fou : il se déplace d'un nombre quelconque de cases en diagonale.

Cavalier : c'est la seule pièce qui puisse sauter par-dessus une case occupée par une autre pièce. Ses mouvements doivent former des L : deux cases (haut/bas ou droite/gauche), puis une case de côté (droite/gauche).

Pion : il n'avance que vers le haut, et d'une seule case à la fois, sauf la première fois, où il peut se déplacer de deux cases. Sa case d'arrivée doit être vide, sinon il est pris par le pion adverse qui s'y trouve. Pour capturer une pièce adverse, le pion doit faire un pas en diagonale.

Pour remporter la partie, il faut mettre le roi adverse ÉCHEC ET MAT !

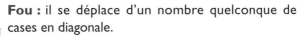

N'oublie pas !

QUEL QUE SOIT LE JEU AUQUEL ON JOUE, IL FAUT TOUJOURS SUIVRE LES RÈGLES. C'EST UNE QUESTION DE RESPECT POUR CELUI QUI JOUE AVEC TOI !

GAGNER, C'EST BIEN…
MAIS SEULEMENT QUAND
ON RESPECTE LES RÈGLES !

Le **roi Ludo** posa un sablier près de l'échiquier :
– Tu disposes de quarante minutes pour jouer un coup, souris. Quand le temps est écoulé, tu passes ton tour !

Puis il me demanda :

– Veux-tu une **TASSE DE THÉ**, souris ?

Je levai la tête pour répondre :

– Non, merci !

Quand je regardai de nouveau l'échiquier…
un de mes pions avait disparu !
Je protestai, mais en vain !

Le roi demanda :

– Veux-tu un *gâteau sec*, souris ?

Je levai la tête pour répondre :

– Non, merci !

Quand je regardai de nouveau l'échiquier… *un de mes cavaliers avait disparu !*

Je protestai, mais en vain !

Le roi demanda :

– Veux-tu un **coussin**, souris ?

Je levai la tête pour répondre :

– Non, merci !

Quand je regardai de nouveau l'échiquier… *un de mes fous avait disparu !*

Je protestai, mais en vain !

Pendant la partie… *je trouvai une clef de cristal : bizarre bizarre !* (voir pages 194-195)

Puis je me concentrai sur l'échiquier. Le roi faisait le malin… *mais il n'était pas si malin que ça !*

Il ne s'était pas aperçu que j'avais gagné !

Je m'exclamai, ravi :

– **Échec et mat !** Et maintenant, Majesté, dites-moi donc où se trouve le Cœur du Bonheur ?

Devine où se cache
LA CLEF DE
CRISTAL ?

Le roi poussa un hurlement :

– Comment oses-tu me mettre échec et mat ?

Les pièces du jeu me donnèrent raison.

– C'est la règle : *celui qui fait échec et mat a gagné !*

Le roi se fâcha :

– Puisque c'est comme ça, la partie est annulée !

Toutes les pièces crièrent :

– L'étranger a fait échec et mat, *donc* il a gagné, *donc* il a droit à la réponse !

Un pion noir me murmura :

– Je vais vous la donner, moi, la réponse : le CŒUR DU BONHEUR ne se trouve pas au pays des Jouets !

Toutes les pièces, les blanches comme les noires, se déployèrent devant moi.

– Vite, partez ! Nous protégerons votre fuite !

Nous sautâmes sur le Dragon.

Le PAYS DES JOUETS était merveilleux, mais… là-bas, aussi, je sentais **UN GRAND VIDE DANS MON CŒUR !**

DANS LA VALLÉE DES OREILLERS

Nous nous posâmes dans la VALLÉE DES OREILLERS, voisine du PAYS DES JOUETS. Quelle drôle de vallée... Là, tout était **moelleux** et **rembourré** !
Les maisons étaient en flanelle et les trottoirs en coton ! Tout était doublé, cousu, molletonné, même les automobiles !
Nous croisâmes des poupées de chiffon qui se promenaient dans la rue en pantoufles et en pyjama.
Pustule m'expliqua :
– Ici, les réveils ne marchent pas, on peut dormir aussi longtemps qu'on veut et se lever très tard ! C'est **génial**, non ?
Pendant que je regardais autour de moi, *je*

Devine où se cache
LA CLEF DE
CRISTAL ?

trouvai une clef de cristal : bizarre bizarre ! (voir pages 198-199)

Un pyjama de flanelle bleue m'offrit une tasse fumante.

Je le remerciai :

– Qu'est-ce que c'est ?

– Une tasse de **camomille**, pour bien dormir !

J'escaladai une moelleuse colline d'oreillers. Tout en sirotant la camomille, mes yeux se fermèrent.

JE DORMIS DORMIS DORMIS...

par mille mimolettes, quel dodo !

Je me réveillai en m'étirant.

– Il n'y a pas de réveil, ici... Comme c'est bon, de faire la grasse matinée !

Mais au bout d'un moment, je commençai à m'ennuyer. La VALLÉE DES OREILLERS était un endroit très douillet, mais... là aussi, je sentais **UN GRAND VIDE DANS MON CŒUR !**

L'heure de continuer notre voyage avait sonné...

Nous montâmes sur le dos du Dragon, qui s'envola en direction du pays de l'Or.

Pays
de l'Or

PAYS DE L'OR

DANS LE PAYS
OÙ TOUT BRILLE !

En atterrissant, nous vîmes une lumière qui brillait au soleil. Qu'est-ce que c'était ?

J'essayai de mieux regarder, mais c'était ÉBLOUISSANT !

Je mis ma patte en visière au-dessus de mes yeux. C'était un... bois tout en or !

La COMPAGNIE s'écria en chœur :

– Ooooooh !

Nous nous enfonçâmes dans cette forêt extraordinaire. Tout était en or : le tronc des arbres, les racines, les feuilles, et même les fruits !

L'herbe des prés était en or, les fleurs étaient en or, les cailloux du sentier étaient en or... et l'eau du ruisseau était en or.

Les nids des oiseaux, même, étaient en or, mais... ils étaient tous VIDES !

Le vent souffla entre les feuilles, qu'il fit tintinnabuler comme mille clochettes.

Ding ! Ding ! Ding ! Dong ! Ding ! Ding ! Ding ! Dong ! Dong ! Dong ! Dong ! Ding ! Dong ! Dong ! Dong ! Dong ! Dong ! Ding ! Ding ! Ding ! Ding ! Dong ! Dong ! Dong ! Dong ! Dong !

Pustule s'écria :

– Ainsi, ce pays *très* précieux existe vraiment !
Je croyais que c'était une légende…

L'oie cacarda :

– Nous sommes dans le fabuleux pays de l'Or ! J'adore les bijoux !

Oscar marmonna :

– Mais pourquoi n'y a-t-il personne dans les parages ?
Pas une grenouille, pas un écureuil, pas un oiseau, pas un insecte…

J'approuvai :

– Oui, tu as raison,

Pays de l'Or

Reine : Dorothée, reine Métallique, Celle qui Scintille, Trésor des trésors, Gemme des gemmes, Joyau des joyaux.
Palais royal : Palais-Brillant.
Monnaie : dorin.
Langue officielle : dorique.
Informations sur le pays : dans ce pays, il n'y a pas d'habitants ! Personne ne peut y vivre : vous découvrirez pourquoi en lisant la suite !

Devine où se cache
LA CLEF DE CRISTAL ?

ça me paraît **bizarre ! Très bizarre !! Très très bizarre !!!**

L'oie cacarda derechef :

– Celui-là, il exagère toujours. Qu'est-ce qu'il en sait, après tout ? Comment voulez-vous qu'un CAFARD s'y connaisse en bijoux ?

Oscar se tut, vexé.

Je le pris par la patte.

– Laisse tomber, ça n'en vaut pas la peine !

Nous suivîmes une allée pavée d'or, qui conduisait à un palais doré : PALAIS-BRILLANT !

En chemin… *je trouvai une clef de cristal : bizarre bizarre !*

Quand j'arrivai devant l'entrée du palais, je frappai.

– Il y a quelqu'un ?

Pas de réponse.

J'abaissai la poignée et entrai.

Il y a quelqu'un ?

Devine où se cache
LA CLEF DE CRISTAL ?

À LA DÉCOUVERTE DE PALAIS-BRILLANT !

Une statue d'or nous adressa la parole, d'une voix métallique :

– Je suis DOROTHÉE ! Bienvenue au pays de l'Or ! Quelle est la raison de votre venue ?

En m'inclinant… *je trouvai une clef de cristal : bizarre bizarre* (voir pages 208-209)

– Précieuse reine, nous sommes à la recherche du CŒUR DU BONHEUR.

– Hélas, il ne se trouve pas au PAYS DE L'OR !

J'avais les moustaches qui tremblaient de déception et je voulais repartir, mais la reine nous invita à rester pour la **NUIT**.

L'oie cacarda, admirative :

– Merveilleux ! Je n'ai jamais vu un rubis aussi gros ! Et ces émeraudes, si j'en avais rien qu'une à moi, je serais l'oie la plus riche de *tout* le ROYAUME DE LA FANTAISIE !

DOROTHÉE

Oscar murmura :

– Euh, où sont les cuisines ?

L'oie soupira :

– Pouah, celui-là, il ne pense qu'à manger ! De toute façon, comment voulez-vous qu'un cafard comprenne quoi que ce soit aux choses raffinées ?

Nous allâmes aux cuisines. Sur une table d'or étaient disposés des assiettes, des couverts et des verres en or.

Pendant que j'admirais ce spectacle… *je trouvai une clef de cristal : bizarre bizarre !*

Devine où se cache
LA CLEF DE CRISTAL ?

spaghettis au fromage

gâteau aux dragées

pizza

Voici une assiette de spaghettis au fromage… et une pizza… et un gâteau !

Pustule cria :

– À table, les amis !

À peine avait-il mordu dans la pizza qu'il poussait un hurlement de douleur et recrachait une dent :

– Aïïïïe !

En réalité, les tomates étaient des **rubis** , les olives des émeraudes et les boules de mozzarella des DIAMANTS très précieux !

L'oie essaya de goûter les spaghettis.

– Mais ils sont en **argent** ! La sauce au fromage est faite avec des TOPAZES ! Et le gâteau est en **PLATINE** et en *perles*.

Nous ouvrîmes le robinet pour boire… mais c'est une cascade de petits diamants très brillants qui coula !

Le ventre vide, j'allai me coucher dans ma chambre.

Mais le matelas était dur comme du bois !

J'essayai de me blottir sous la couverture, mais elle était en or et ne tenait pas chaud. Pendant que je

Devine où se cache
LA CLEF DE
CRISTAL ?

me retournais dans les draps… *je trouvai une clef de cristal : bizarre bizarre !* (voir page 213)

Le PAYS DE L'OR était merveilleux, mais… là aussi, je sentais **UN GRAND VIDE DANS MON CŒUR !**
J'étais de plus en plus déçu… Mais où pouvait bien se trouver le **Cœur du Bonheur** ?
Comme je ne pouvais ni boire, ni manger, ni dormir, je passai une nuit blanche.
Au matin, je vis que tous mes amis avaient des cernes.
– Vous non plus, vous n'avez pas dormi, hein ?
Quelle **NUIT HORRIBLE** !

Je n'ai pas fermé l'œil…
… de la nuit…
… et je suis un peu fatigué !

CENT GRAMMES D'AMOUR... ÇA NE S'ACHÈTE PAS !

Quand nous repartîmes, l'oie insista pour emporter un plein coffre de PIERRES PRÉCIEUSES..., et Pustule un sac rempli de pièces d'or !

– Nous sommes riches ! criaient-ils.

Ils arrimèrent leur trésor sur le Dragon avec des cordes, pendant que je secouais la tête en signe de désapprobation.

Au moment de partir... *je trouvai une clef de cristal : bizarre bizarre !*

Devine où se cache LA CLEF DE CRISTAL ?

Nous voyageâmes toute la journée, mais le soir, une **TEMPÊTE FURIEUSE** se déchaîna.

Je criai :

– Nous sommes trop lourds, le Dragon n'y arrivera pas ! Il faut se débarrasser des pierres précieuses et du sac d'or !

L'oie et Pustule hurlèrent : *Nooooooooooon !*

Oscar s'exclama :

– Vite, avant qu'il ne soit trop tard !

Déjà, le Dragon perdait de l'altitude et penchait **DANGEREUSEMENT**...

Je dénouai les cordes. Les pierres précieuses et l'or...

... tombèrent dans le viiiiiiiiiiiiiiiiiiiiiiiiiiiiiiiiiiiiiiiiiiiiiiiiiiiide !

Le Dragon regagna de l'altitude : nous étions sauvés !

Pustule sécha ses larmes :

– *Tout cet or...* J'étais riche, *très riche !*

L'oie sanglota :

– *Tous ces joyaux…* Je m'en arracherais les *plumes* de désespoir !

Le Dragon, épuisé, se posa sur un pic rocheux. Où étions-nous ?

Oscar s'allongea pour admirer le CIEL ÉTOILÉ et soupira, heureux :

– Là, j'ai vraiment l'impression d'être MILLIONNAIRE. Il me suffit de regarder… les *millions* de *millions* de *millions* d'étoiles qui brillent dans le ciel au-dessus de moi !

Pustule pleurnicha :

– Oui, mais tout cet or…

Oscar sourit.

– *Le plus grand des trésors, c'est d'avoir des amis sincères !*

Dans la vie, les choses les plus précieuses, c'est-à-dire l'amitié, l'amour, la santé, la liberté, sont gratuites et *ne peuvent pas s'acheter !* Par exemple, essaie donc d'acheter cent **grammes** d'amour, ou un **litre** d'amitié, ou un MÈTRE de bonheur… Ce n'est pas possible !

J'approuvai :

– Bien parlé, Oscar !

Je regardai en contrebas du pic où nous nous trouvions. Je découvris un immense PAYS, peuplé par des princesses aux cheveux d'or, des *princes charmants* et des **ANIMAUX PARLANTS**…

Soudain, je compris.

Nous étions…

arrivés…

au pays…

des Contes !

CENT GRAMMES D'AMOUR !

UN LITRE D'AMITIÉ !

UN MÈTRE DE BONHEUR !

Pays
des Contes

PAYS DES CONTES

LE PAYS DONT J'AI TOUJOURS RÊVÉ !

Le Dragon repartit et atterrit entre la mer de la PETITE SIRÈNE et les maisons des **Trois Petits Cochons**. Ouvrant tout grand nos yeux, nous reprîmes notre recherche du CŒUR DU BONHEUR.

Pays des Contes

Roi : dans ce pays, il n'y a ni roi ni reine !
Palais royal : Palais-Enchanté.
Monnaie : conte d'or.
Langue officielle : conté.
Informations sur le pays : ses habitants sont les personnages des contes, des fables et des légendes du monde entier !

Voici l'étang du VILAIN PETIT CANARD et le bois du Petit Chaperon rouge !

Puis la forêt de Hansel et Gretel...

Nous passâmes ensuite devant le palais de la Belle et la Bête, le village de Pinocchio et la forêt de la Belle au bois dormant. Puis ce fut la chaumière des Sept Nains et de Blanche-Neige, le moulin du CHAT-BOTTÉ, l'étang du PETIT POISSON D'OR et l'arbre enchanté de L'OISEAU BLEU !

Enfin la forêt des animaux parlants !

J'étais très ému de voyager au pays des Contes !

J'ai toujours rêvé de rencontrer les personnages de mes livres préférés !

SUR LE PIC
DU LIVRE PARLANT

Pustule suggéra :

– Escaladons le PIC DU LIVRE PARLANT. Celui-ci est un livre *très* particulier, qui contient toutes les histoires et toutes les informations du monde ! Il saura nous dire si le Cœur du Bonheur se trouve dans ce pays !

À la lueur argentée de la lune, nous commençâmes l'escalade.

Le sentier était pavé de pierres sculptées : c'étaient les lettres de l'ALPHABET.

L'oie cacarda :

– C'est moi qui parlerai au Livre parlant !

Pustule soupira :

– Pff, tu crois qu'il acceptera de parler avec une cancanière dans ton genre ?

– Et si c'était Geronimo ? dit Oscar.

Je souris.

– Mes amis, j'espère être à la hauteur de votre confiance ! Je ferai de mon mieux !

Grimper au milieu des lettres de pierre me faisait un effet **bizarre**. Tous les *mots*, toutes les *phrases*, toutes les *histoires* que m'inspiraient ces lettres !

Puis le sentier finit et nous nous retrouvâmes devant un livre énorme, aussi grand qu'un terrain de foot. Le Livre parlant était fermé.

J'étais embarrassé : comment adresse-t-on la parole à un Livre parlant ?

Je me risquai :

– Euh, bonsoir, Monsieur le Livre parlant ! Puis-je vous demander un renseignement ?

Les pages commencèrent à tourner, des lettres et des personnages fantastiques en sortirent en voletant : *fées*, **SORCIÈRES**, **lutins**, gnomes, **GÉANTS** !

Tandis que je les observais, fasciné… *je trouvai une clef de cristal : bizarre bizarre !* (voir pages 226-227)

Devine où se cache
LA CLEF DE
CRISTAL ?

LE PLUS BEAU SUJET DU MONDE, C'EST…

Le Livre parlant demanda :

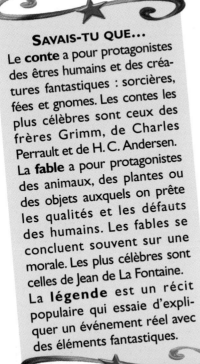

SAVAIS-TU QUE…
Le **conte** a pour protagonistes des êtres humains et des créatures fantastiques : sorcières, fées et gnomes. Les contes les plus célèbres sont ceux des frères Grimm, de Charles Perrault et de H. C. Andersen.
La **fable** a pour protagonistes des animaux, des plantes ou des objets auxquels on prête les qualités et les défauts des humains. Les fables se concluent souvent sur une morale. Les plus célèbres sont celles de Jean de La Fontaine.
La **légende** est un récit populaire qui essaie d'expliquer un événement réel avec des éléments fantastiques.

– Qui es-tu, étranger, et que veux-tu savoir ?
Je répondis :
– Mon nom est Stilton, *Geronimo Stilton*. Et voici la COMPAGNIE DU BONHEUR. Je voudrais savoir si le CŒUR DU BONHEUR se trouve dans le pays des Contes !
Le Livre se referma et je compris qu'il réfléchissait.

Puis il recommença à faire tourner ses pages à toute vitesse.

– Je vais te donner ce renseignement, mais tu dois d'abord subir une épreuve.

Mes moustaches se tortillèrent d'agitation.

– Euh, quelle épreuve ?

Le Livre parlant reprit :

– Tu vas me raconter une *fable* sur *le plus beau sujet du monde !*

Je réfléchis un instant.

Voyons, quel est *le plus beau sujet du monde ?*

Je pensais pensais pensais… jusqu'à ce que surgisse une idée.

J'avais trouvé *le plus beau sujet du monde !*

Tout le monde se prépara à écouter, et je commençai mon récit…

Nul ne doit ignorer qu'un jour…

Nul ne doit ignorer qu'un jour au pays des Contes éclata une gigantesque tempête.

Il plut, il plut, il plut. Mais quand la pluie cessa et que le soleil brilla de nouveau, dans le ciel apparut un merveilleux arc-en-ciel de sept couleurs... Rouge, Orangé, Jaune, Vert, Bleu, Indigo, Violet.

Le Rouge dit :

– Je suis la couleur la plus importante. Je colore les plus belles fleurs, les fruits les plus sucrés et les meilleurs légumes... Rouge est le sang qui court dans les veines, et le cœur est rouge !

L'Orangé répliqua :

– Moi, moi, moi, c'est moi la couleur qui compte le plus ! Tous les fruits les plus juteux sont de ma couleur.

Jaloux, le Jaune protesta :

– Moi, je suis le plus important, je suis de la couleur du soleil !

Le Vert les fit taire :

– Et moi alors, qu'est-ce que je devrais dire ? Toutes les plantes de la terre sont vertes !

Le Bleu était furieux :

– C'est moi qui compte le plus : je suis la couleur du ciel et de la mer !

L'Indigo soupira :

– C'est moi le plus important : je suis de la couleur de la nuit, et sans moi vous ne verriez pas les étoiles !

Le Violet s'écria :

– Je suis le plus important, car je suis au sommet de toutes les couleurs !

Le Rouge éclata de rire :

– Tu es la dernière couleur… La première, c'est moi !

Comme les couleurs se disputaient, l'arc-en-ciel n'était plus aussi beau qu'avant.

Soudain, le Rouge sauta à terre.

– Puisque c'est ça, je m'en vais, je réussirai mieux tout seul !

Chaque couleur partit à son tour et il ne resta plus rien de l'arc-en-ciel.

Le ciel était vide.

Mais, bientôt, le Rouge, l'Orangé, le Jaune, le Vert, le Bleu, l'Indigo et le Violet s'aperçurent qu'il n'était pas agréable d'être seul : on n'avait personne avec qui discuter, personne avec qui s'amuser… et personne avec qui pleurer !

Enfin, un beau jour, toutes les couleurs se retrouvèrent, et le Rouge demanda timidement :

– Mes amis, êtes-vous d'accord pour faire la paix ?

Puis il tendit la main à l'Orangé.

L'Orangé la serra en souriant.

– C'est une merveilleuse idée !

À son tour, il tendit la main au Jaune, qui tendit la main au Vert, qui tendit la main au Bleu, qui tendit la main à l'Indigo, qui tendit la main au Violet…

Comme par enchantement, un merveilleux arc-en-ciel se forma dans le ciel.

Toutes les créatures des alentours levèrent la tête et admirèrent ce pont entre la terre et le ciel.

C'était si beau de voir resplendir de nouveau toutes les couleurs ensemble, en harmonie !

Un enfant s'exclama :

– Les sept couleurs de l'arc-en-ciel ont fait la paix ! Nous devrions faire comme elles… On vit mieux quand on est en paix. Pour être heureux et construire un monde meilleur, il faut vivre en paix !

LE PLUS BEAU SUJET DU MONDE, C'EST... LA PAIX !

Le **Livre parlant** recommença à faire tourner ses pages, en me félicitant :

– Bravo, Geronimo ! Tu as raison, le plus beau sujet du monde, c'est la PAIX ! *On vit mieux quand on est en paix... Pour être heureux, il faut vivre en paix !*

Je souris, satisfait, pendant que le Livre poursuivait :

– Puisque tu as raconté une belle histoire, je vais te donner le renseignement que tu cherches !

Toute la COMPAGNIE DU BONHEUR, ÉMUE, se rassembla autour du Livre.

Celui-ci fit tourner, tourner, tourner des *dizaines*, des *centaines*, des *milliers* de pages qui contenaient toutes les histoires et toutes les INFORMATIONS du monde, jusqu'à ce qu'il s'arrête sur une page où il était écrit : « LE CŒUR DU

BONHEUR NE SE TROUVE PAS AU PAYS DES CONTES ! »
Je soupirai, déçu :

– Si le 𝕮œur du 𝕭onheur ne se trouve pas
non plus ici, nous allons devoir rentrer les mains
vides au *royaume des Fées*. Le voyage de retour
va être triste…

Toute la COMPAGNIE DU BONHEUR monta sur le
Dragon et nous repartîmes, le cœur gonflé de
tristesse.

UNE LANGUE COMME LES AUTRES… MAIS AVEC QUELQUE CHOSE EN PLUS !

Le soir, nous nous arrêtâmes pour nous reposer. Oscar alluma un **FEU**… monta la **TENTE**… et nous offrit une délicieuse tasse de CHOCOLAT CHAUD. Pendant que je la sirotais… *je trouvai une clef de cristal : bizarre bizarre !*

Puis je félicitai Oscar :

Devine où se cache LA CLEF DE CRISTAL ?

– Mon ami, tu es génial ! Tu sais tout faire !

Il sourit.

– Si tu veux, je peux même t'apprendre une chose *utile* et Aᴍᴜ∫ANᴛe : la LSF !

Je demandai, intrigué :

– La LSF ?

Oscar expliqua **FIÈREMENT** :

– Oui, la LANGUE DES SIGNES FRANÇAISE.
C'est une langue comme toutes les autres, comme le français, l'italien ou l'anglais ! Mais elle a quelque chose en plus : c'est une langue *naturelle, visuelle, non parlée* ! Je connais cette langue parce que je suis né sourd. Je l'utilise avec ceux qui la connaissent. Sinon, j'ai appris à prononcer les mots et même à… lire sur les lèvres !

J'étais admiratif :

– Je ne m'étais pas aperçu que tu n'entendais pas !

Oscar sourit de nouveau.

– Je suis peut-être sourd, mais je sais donc *lire* sur vos lèvres les mots que vous prononcez et je sais *parler* comme vous !

Puis il m'apprit cette langue extraordinaire…

LSF – LANGUE DES SIGNES FRANÇAISE

À la place de l'alphabet traditionnel, la langue des signes française la **DACTYLOLOGIE** : à chaque lettre de l'alphabet correspond une position des doigts.

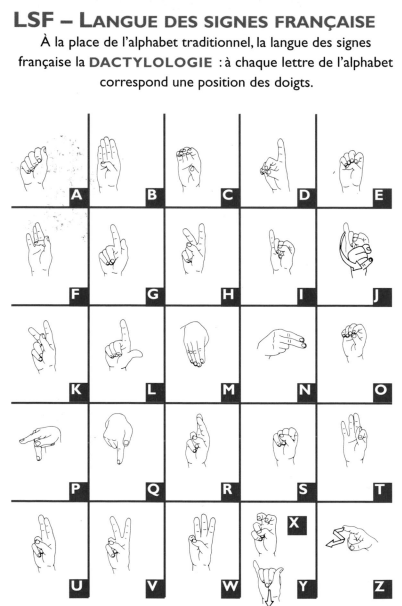

COUCOU !

Il existe de nombreux signes qui permettent de construire les phrases, à chaque signe correspondant un mot. Les personnages des pages qui suivent te montrent les gestes qui te permettront de faire quelques phrases en LSF !

(Les flèches indiquent le mouvement des mains.)

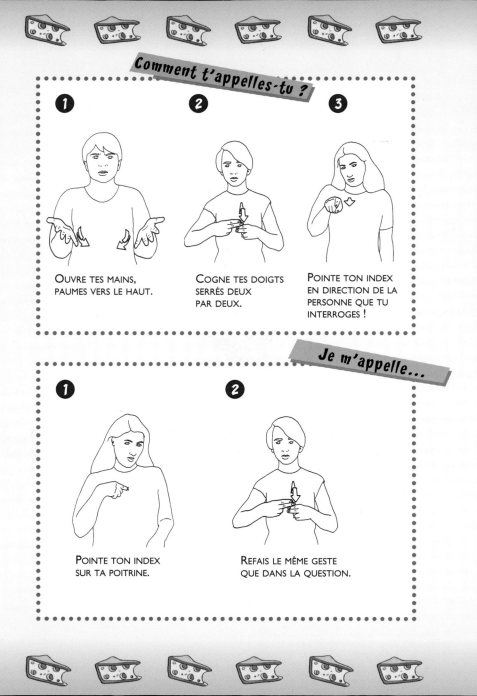

Comment t'appelles-tu ?

1 OUVRE TES MAINS, PAUMES VERS LE HAUT.

2 COGNE TES DOIGTS SERRÉS DEUX PAR DEUX.

3 POINTE TON INDEX EN DIRECTION DE LA PERSONNE QUE TU INTERROGES !

Je m'appelle...

1 POINTE TON INDEX SUR TA POITRINE.

2 REFAIS LE MÊME GESTE QUE DANS LA QUESTION.

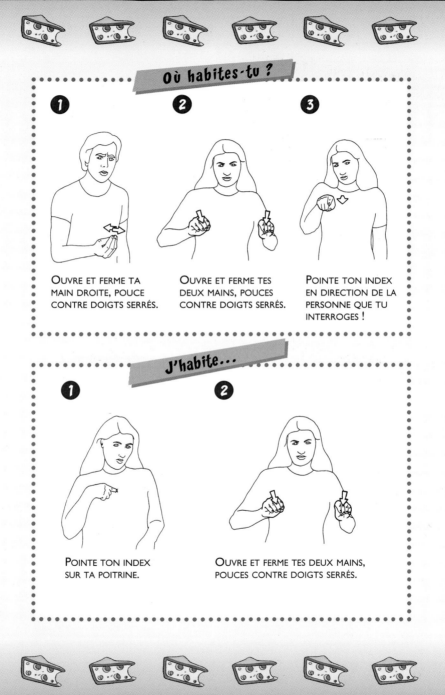

Veux-tu jouer avec moi ?

1 POINTE TON INDEX EN DIRECTION DE LA PERSONNE QUE TU INTERROGES !

2 LÈVE ET ABAISSE TES DEUX MAINS, PAUMES VERS LE HAUT ET DOIGTS RECROQUEVILLÉS.

3 AURICULAIRES ET POUCES SORTIS, TOURNE LES POIGNETS DE GAUCHE À DROITE.

4 POINTE TON INDEX SUR TA POITRINE.

Bonne idée !

1 APPROCHE L'INDEX DE TA TEMPE PUIS ÉLOIGNE-LE.

Merci !

1 APPROCHE LA MAIN DE TA BOUCHE PUIS ÉLOIGNE-LA COMME SI TU ENVOYAIS UN BAISER !

Quel âge as-tu ?

1 FROTTE LA PAUME DE TA MAIN GAUCHE AVEC TA MAIN DROITE...

2 POINTE TON INDEX EN DIRECTION DE LA PERSONNE QUE TU INTERROGES !

J'ai huit ans !

1 POINTE TON INDEX SUR TA POITRINE.

2 RAMÈNE TON POING DROIT SUR LE GAUCHE EN DÉCRIVANT UN CERCLE.

3 MONTRE HUIT DOIGTS POUR LE CHIFFRE HUIT !

RETOUR AU ROYAUME DES FÉES

Le lendemain, nous partîmes dès l'aurore.

Pustule s'écria :

– Voici le ROYAUME DES FÉES !

Pendant que le Dragon descendait vers la piste de cristal... *je trouvai une clef de cristal : bizarre bizarre !* J'étais triste. Comment allais-je expliquer à *Floridiana* que je n'avais pas trouvé le CŒUR DU BONHEUR ?

Je mis la main dans ma poche et jouai distraitement avec les CLEFS DE CRISTAL que j'avais trouvées au cours du voyage.

À quoi pouvaient-elles bien servir ?

Je levai les yeux et vis briller dans le ciel la première ÉTOILE du soir... Mon cœur fondit de douceur !

J'ai toujours aimé observer les étoiles.

Et je me souvins d'une belle phrase sur l'amitié :

« LES AMIS SONT COMME LES ÉTOILES : MÊME QUAND LE CIEL EST VOILÉ PAR LES NUAGES, ON SAIT QU'ILS SONT LÀ ! »

Je soupirai, en regardant fixement l'étoile.

Devine où se cache LA CLEF DE CRISTAL ?

TRENTE-TROIS CADENAS DE CRISTAL !

C'était une ÉTOILE FILANTE !

Je fis un vœu :

– Petite étoile, je voudrais trouver le Cœur du Bonheur !

L'étoile tomba tomba tomba tomba…

Elle tomba *juste* à côté de nous ! Elle tomba *juste* dans le *jardin des Fées* ! Elle tomba *juste* sur le *grand chêne de cristal* !

Je criai à mes compagnons :

– Suivons l'étoile !

Je courus, à en perdre haleine, jusqu'au jardin.

Pendant que j'admirais les ROSES DE CRISTAL qui se balançaient dans la brise nocturne… *je trouvai une autre clef de cristal : bizarre bizarre !* (voir page 248)

Devine où se cache
LA CLEF DE
CRISTAL ?

Je passai près du puits de cristal.

Sur un étang de cristal flottaient des nénuphars de cristal : un *petit poisson* de cristal vint respirer à la surface !

Bloub !

Je me précipitai vers le grand chêne ; ses feuilles tintinnabulaient dans la brise nocturne. Entre ses racines, je découvris une petite porte fermée par trente-trois CADENAS DE CRISTAL !

Soudain, je me souvins des trente-trois CLEFS DE CRISTAL que j'avais recueillies pendant le voyage… et je compris que c'étaient les mystérieuses clefs du bonheur dont nous avaient parlé les Fées !

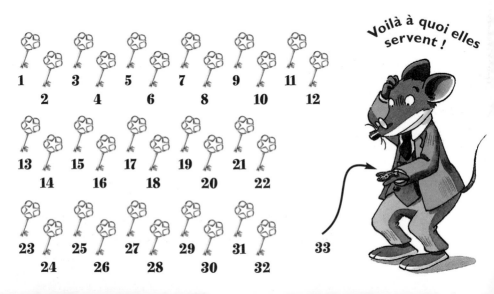

Voilà à quoi elles servent !

1

Entre les racines du chêne était dissimulée une toute petite petite petite porte...

Les pattes tremblant d'ÉMOTION, je pris les clefs et ouvris un à un tous les cadenas... J'entrouvris la porte... Je m'avançai et tombaiiiiiiiiiiiiiiiiiiii...

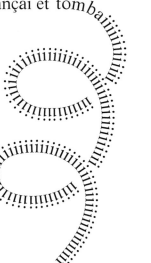

2 ... j'entrouvris la porte...

3 ... je m'avançai et tombai !

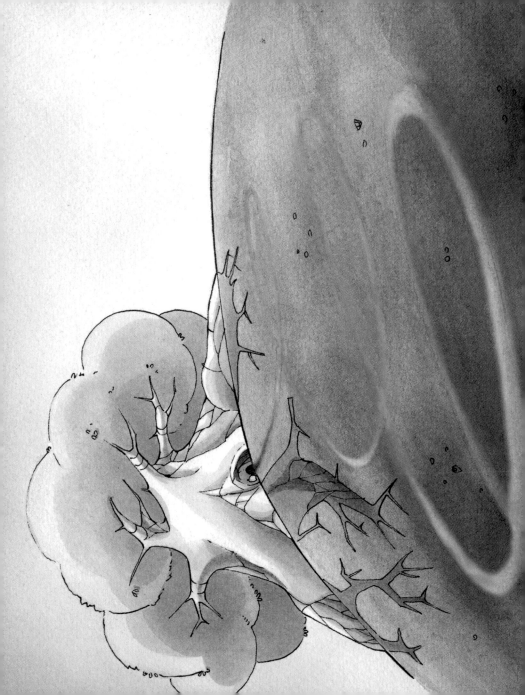

GLISSER DANS LE NOIR SUR UN TOBOGGAN DE CRISTAL !

Je tombai tombai tombai dans le noir !

Sur un toboggan à vous couper le souffle !

Pendant un moment qui me parut iNteRMi-
NAAAAAAAAAABLe !

Tout en tombant, je hurlais à tue-tête :

– AU SECOUUUUUUUUUUUUUUUUURS !

J'atterris sur une surface très froide : c'était du
CRISTAL !

Je me massai l'arrière-train.

– Ouille ouille ouille, quel choc !

Pourquoi faisait-il aussi noir ?

Où étais-je ???

Que devais-je faire ???

Euh, depuis tout petit, je suis un gars,
enfin un rat, plutôt froussard.

J'ai toujours eu **PEUR** des serpents…

J'ai toujours eu **PEUR** des araignées…

J'ai toujours eu **PEUR** des fantômes...

J'ai toujours eu **PEUR** des chats...

J'ai toujours eu **PEUR** du noir !

Je criai :

– AU SECOUUUUUUUUUUUUUUURS !

Mais personne ne pouvait m'entendre.

J'étais S E U L !

Comme cette nuit me parut longue !

Je pleurai pleurai pleurai de peur et de solitude...

Oh, comme je pleurai !

J'avais l'impression d'être redevenu petit petit petit.

J'avais l'impression que tout tout tout tout tout tout tout tout tout tout tout tout tout tout tout tout tout tout tout tout tout tout tout tout était perdu !

Comme il faisait noir...
Où étais-je ?

Soudain, une lumière filtra
par en haut...

J'étais dans une grotte
de cristal !

UN RAYON DE LUMIÈRE, UNE JOIE TRÈS PURE

Un **RAYON DE SOLEIL** illumina la grotte.

Ainsi, une fois encore, après cette nuit le soleil s'était levé… La lumière avait vaincu les ténèbres… Le courage avait vaincu la peur !

Bienheureux celui qui ne perd jamais espoir !

Chanceux celui qui conserve toujours la force de croire, même dans les moments les plus difficiles !

Fort celui qui a toujours foi dans le Bien, dans l'Amour, dans l'Amitié !

La lumière se refléta sur les mille facettes de cristal et fit scintiller la grotte comme un précieux joyau.

Il me sembla que mon cœur aussi se remplissait de lumière… et de joie très pure !

Mes yeux se voilèrent de larmes et je pleurai comme je ne l'avais jamais fait de ma vie.

Mais, cette fois, c'étaient des **LARMES DE JOIE** !

Au centre de la grotte jaillissaient une source d'eau cristalline et une cascade.

Un rayon de soleil frappant les petites gouttes d'eau en suspension dans l'air donna vie à un merveilleux ARC-EN-CIEL.

LUMIÈRE ET TÉNÈBRES...

Le courage l'emporte toujours sur la peur, la joie sur la tristesse, l'amour sur la haine, la paix sur la guerre ! Même dans les situations qui semblent sans issue, il ne faut jamais perdre espoir : tout passe, le bonheur revient toujours.

??????

LE MYSTÈRE
DES SEPT CŒURS

Dans l'eau de la fontaine, je vis sept cœurs posés sur le fond cristallin.

Un d'OR... un d'*argent*... un d'AMBRE... un de RUBIS... un de SAPHIR... un d'ÉMERAUDE... un de *cristal* transparent !

Sur le fond étaient gravés ces mots :

SEPT CŒURS TU VERRAS,

MAIS UN SEUL TU PRENDRAS.

ATTENTION, NE TE TROMPE PAS,

OU LE BONHEUR TU NE TROUVERAS PAS !

J'essuyai mes moustaches en sueur. **QUE DEVAIS-JE FAIRE ?** Quel cœur devais-je choisir ?

Hum, peut-être celui en OR... Dans la pénombre, il brillait comme un soleil !

Celui d'*argent* était aussi très beau !

Mais peut-être devais-je plutôt choisir celui d'AMBRE !
Non non non ! Il valait mieux prendre celui de
RUBIS !
Ou, peut-être, celui de SAPHIR !
Ou bien celui d'ÉMERAUDE ?
Ou encore celui de *cristal* ?
Il était trop difficile de choisir !
Puis je m'exclamai :
– Je vais choisir le plus **précieux**. C'est sûrement
le CŒUR DU BONHEUR !
Je plongeai la main dans l'eau, l'approchai de ces
cœurs scintillants.

Quel cœur choisir ?

Chaque cœur semblait me dire : *Choisis-moi choisis-moi choisis-moi !*

J'éprouvai un désir étrange... J'aurais voulu m'emparer de tous ces joyaux précieux !

Je m'écriai :

– Le **Cœur du Bonheur** doit être à moi, à moi, à moi ! Je le veux ! Je crois que je vais prendre les sept cœurs... Je ne peux pas les laisser ici... *Ils sont trop beaux !*

Mais je me rappelai les paroles du chœur des Fées : « Le cœur te guidera toujours ! »

J'observai encore les sept cœurs et je **réfléchis**

réfléchis   **réfléchis !**

Ainsi donc, je devais choisir un cœur pour la *reine des Fées*...

Hum, en quel matériau était fait le château de la reine des Fées ?

Pas en or,

ni en argent,

ni en pierres précieuses.

Elle n'accordait aucune importance à la valeur économique des choses, seulement à leur pureté.
Elle n'aurait pas choisi le cœur le plus coûteux.
Elle aurait choisi le cœur le plus pur, le seul qui soit capable de refléter la lumière.

Enfin enfin enfin, je compris !

Tendant la patte, je choisis… le cœur de cristal.
– *Voici* le **Cœur du Bonheur** !
Le *cristal* est la matière la plus pure, la seule qui puisse refléter la lumière !
C'est alors qu'un rayon de lumière vint heurter le cœur, qui donna les sept couleurs de l'arc-en-ciel !

Voici le Cœur du Bonheur !

Un passage
SECRET

Maintenant, il me fallait trouver la sortie. Je passai la patte sur les murs, je cherchai partout, mais... rien de rien de rien !

Et si je me trouvais dans une grotte sans issue ?

Et si j'étais condamné à rester là éternellement ?

Jusqu'à ce qu'il ne reste plus de moi qu'un petit tas d'os de souris ?

Brrr ! Quelle horreur !

Puis je découvris qu'à côté de la cascade étaient gravées **sept devinettes**.

Pour sortir, je n'avais qu'à trouver les solutions.

Je dus réfléchir beaucoup, mais j'y parvins.

À votre tour d'essayer !

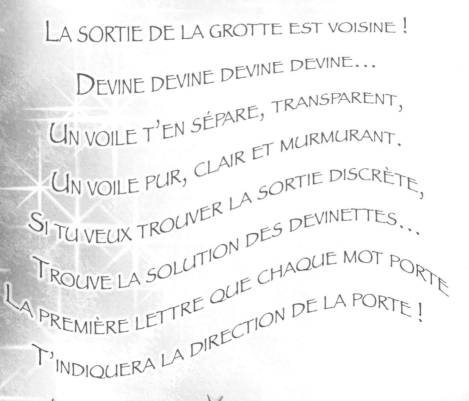

LA SORTIE DE LA GROTTE EST VOISINE !

DEVINE DEVINE DEVINE DEVINE…

UN VOILE T'EN SÉPARE, TRANSPARENT,

UN VOILE PUR, CLAIR ET MURMURANT.

SI TU VEUX TROUVER LA SORTIE DISCRÈTE,

TROUVE LA SOLUTION DES DEVINETTES…

LA PREMIÈRE LETTRE QUE CHAQUE MOT PORTE

T'INDIQUERA LA DIRECTION DE LA PORTE !

1 QU'EST-CE QUI GRANDIT DANS LA MER MAIS N'EST NI UN POISSON NI UNE PLANTE ?

2 QU'EST-CE QUI N'A QU'UN SEUL ŒIL ET UNE LONGUE QUEUE QUI NE CESSE DE RACCOURCIR ?

3 QU'EST-CE QU'ON NE PEUT NOMMER SANS LE ROMPRE ?

4 QU'EST-CE QUI EST CLAIR COMME UNE VOIX, SOLIDE COMME DE LA ROCHE ET TRANSPARENT COMME DU VERRE ?

5 QU'EST-CE QUI SE DÉNUDE QUAND IL COMMENCE À FAIRE FROID ?

6 QU'EST-CE QUI EST TOUJOURS TOUT SEUL DU SAMEDI AU JEUDI, MAIS QUI SE RETROUVE À DEUX LE VENDREDI ?

7 QU'EST-CE QUI NE S'ÉCRIT QU'AVEC DES VOYELLES MAIS NE SE PRONONCE COMME AUCUNE D'ELLES ?

LA SORTIE DE LA GROTTE EST VOISINE,

DEVINE DEVINE DEVINE DEVINE !

SOLUTIONS : 1. LE CORAIL – 2. UNE AIGUILLE À COUDRE – 3. LE SILENCE – 4. LE CRISTAL – 5. UN ARBRE – 6. LA LETTRE D. – 7. L'EAU.
LES INITIALES DE CES SEPT MOTS FORMENT LE MOT C-A-S-C-A-D-E.

Je murmurai :

– Hum, les initiales de ces sept mots forment le mot C-A-S-C-A-D-E ! Alors la sortie de la grotte se trouve derrière la CASCADE !

Je tendis une patte à travers le *voile* d'eau *transparent, pur, clair* et *murmurant*.

Je passai la tête de l'autre côté et découvris un escalier de cristal. D'un bond, je traversai la cascade.

Regardant vers le haut, je vis une LUMIÈRE : par là, on pouvait sortir !

Je commençai à gravir l'escalier de

Je tendis une patte à travers la cascade...

... passai la tête de l'autre côté...

... traversai la cascade...

CRISTAL, sans quitter le ciel des yeux, cette lueur qui ravivait *l'espoir* dans mon cœur.

Marche après marche, je montai montai montai jusqu'à ce que...

... de l'autre côté, un escalier de cristal montait montait montait !

FAITES PLACE
À LA REINE
DES SORCIÈRES

… je sortis par un puits ! Mais au même moment, j'entendis une voix cruelle qui criait :

– Donne-moi le Cœur !

Au-dessus de ma tête, je vis voler un char qui brillait comme le **FEU** dans les dernières lueurs du couchant et qui était tiré par un féroce **DRAGON DES TÉNÈBRES**.

Un visage blafard, à la bouche écarlate et avec un grain de beauté sur la lèvre, apparut par-dessus le char.

Deux yeux lancèrent des éclairs de colère. C'était la **REINE DES SORCIÈRES** !

Elle hurla :

– Donne-moi le Cœur ! Je le veux !

Le char se posa dans le **JARDIN DE CRISTAL**.

Je me hâtai de dissimuler le **CŒUR**. Ouf, personne ne m'avait vu faire !

La reine sauta à bas de son char.

– Je sais que tu as trouvé le **Cœur du Bonheur** ! Donne-le-moi !

Je m'inclinai.

– Je regrette, Majesté : je n'ai pas le Cœur.

Elle hurla :

– Je sais que tu l'as ! Je sais toujours *tout* !

Derrière elle voletait le **ROI DES PIPISTRELLES NOIRS** : c'est *lui* qui m'avait espionné !

Sorcia ricana :

– Tu es vraiment naïf. Si je t'ai laissé partir, c'est *uniquement* parce que je voulais que tu trouves le Cœur ! Et sais-tu ce que je vais en faire ? Le détruire !

Je l'écraserai sous le talon de mon **escarpin rouge**, et comme ça personne ne pourra plus découvrir le

Secret du bonheur ! En effet, ce qui renforce mon pouvoir, c'est la TRISTESSE. Celui qui a goûté, ne serait-ce qu'un instant, au *vrai BONHEUR* ne désire plus qu'une chose : vivre dans sa lumière. Donne-moi le **Cœur** !

Je la fixai dans les yeux.

– Je ne l'ai pas !

– Je ne te crois pas !

– Je vous dis que je ne l'ai pas !

– Tu mens !

Je souris.

LE BONHEUR EST...

Le bonheur est contagieux, comme la rougeole ! Quand on est heureux, on a envie de transmettre son bonheur aux autres, et d'allumer aussi en eux la lumière qui éclaire notre cœur !

Dans un monde heureux, on vit mieux : il est plus agréable d'être entouré de visages joyeux que de visages tristes. Et quand tous les cœurs seront éclairés par la lumière du bonheur, le monde resplendira de paix !

– Si, vraiment, vous savez *tout*, puissante reine, vous devriez aussi savoir que *Geronimo Stilton* ne ment jamais !

Elle **gronda** :

– Rongeur, comment oses-tu parler ainsi à la reine des Sorcières ? Je vais te donner à manger à mon **DRAGON DES TÉNÈBRES** ! Il ne fera qu'une bouchée de toi !

QUELLE IDÉE...
ASSOURISSANTE !

Mes compagnons arrivèrent, mais le Dragon des Ténèbres les éloigna en crachant du **FEU** !

Oscar s'écria :

– Où est le 𝒞œur du ℬonheur ?

C'est alors que j'eus une idée... assourissante : la LSF ! La reine n'y comprendrait rien du tout !

– Je ne l'ai pas ! répondis-je.

Mais tandis que je prononçais ces mots, je lui expliquai en LANGUE DES SIGNES :

J'ai jeté le Cœur dans l'étang pour le mettre à l'abri de la Sorcière !

Oscar me répondit d'un signe : OK !
La **REINE DES SORCIÈRES** ne
comprit pas le message que j'adressais à
mes compagnons. Elle hurla :
– Je vais t'emmener avec moi et tu ne
reverras jamais tes amis !
Le Dragon m'attrapa entre ses griffes et s'envola.
Oh là là, comme nous étions haut dans le ciel !
Mes compagnons étaient devenus des points noirs
tout petits petits petits petits petits là-bas en dessous.
Ils ne pouvaient rien faire pour moi !
Soudain, le Dragon relâcha sa prise et... je tombai !

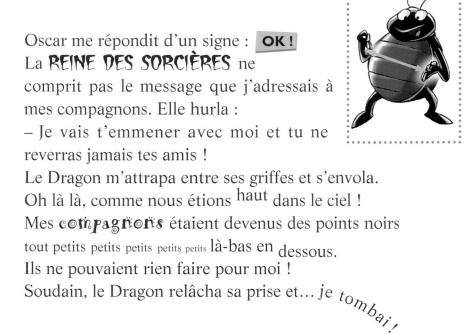

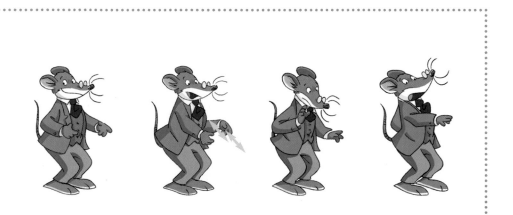

Sur les ailes
de la valeureuse
Aliseus

Je tombai dans le vide en hurlant à pleine voix :

– Au secouuuuuuuuuuuuuurs ! Je n'ai pas de parachute !

La terre se rapprochait à une **_VITESSE VERTIGINEUSE_**.

Puis quelque chose interrompit ma chute : deux ailes aussi lumineuses qu'un arc-en-ciel, aussi moelleuses qu'un oreiller de duvet !

À l'abri dans cet abri douillet, je regardai autour de moi : j'étais sur le dos d'une Licorne blanche ailée !

Elle hennit doucement :

– Tout est bien qui finit bien !

Je balbutiai :

– Merci, tu m'as sauvé la vie ! Mais qui es-tu ? Quelles belles ailes colorées tu as !

Elle sourit :

– Mon nom est **ALISEUS**, et voici mon histoire…

HISTOIRE D'ALISEUS

Je suis née au pays des Licornes,
une paisible vallée au nord des monts
Dorés, dans le ROYAUME DE LA FANTAISIE.
Un jour, la reine des Sorcières, jalouse
de Floridiana, déchaîna une tempête
effroyable qui détruisit le château
des Fées !
Floridiana s'évanouit et elle serait morte si je ne l'avais
pas chargée sur mon dos.
Pendant que la tempête me poursuivait en rugissant,
je galopai comme le vent pour sauver cette vie précieuse.
Mon cœur cognait dans ma poitrine, la gorge
me brûlait, et j'avais le pelage couvert de sueur.
Mes sabots s'usèrent dans ce galop furieux,
mais je parvins à courir plus vite que l'ouragan.
Floridiana était sauvée !
Quand elle revint à elle, je soupirai :
– Oh, ma reine ! j'aurais tant aimé avoir des ailes
pour courir encore plus vite !
Floridiana me dit :
– Tu as rêvé de voler ? Eh bien, à partir de maintenant,
tu voleras pour de bon. Je te donne une paire d'ailes
moelleuses comme le duvet, légères comme le souffle
des Fées, mais aussi puissantes que mille ouragans !
Et désormais, tu t'appelleras Aliseus : comme les alizés,
les doux vents des mers du Sud.
Voilà mon histoire !

– Ma valeureuse amie, sans toi, je me serais écrabouillé au sol ! Il ne serait resté de moi que de la **MARMELADE DE SOURIS** ! Veux-tu, toi aussi, faire partie de la Compagnie du Bonheur ? Avec toi, nous serons sept !

Aliseus poussa un hennissement enthousiaste que le vent emporta au loin :

– Merci, les amis !

Aliseus

Licorne blanche et ailée, elle vole très vite, parce que ses ailes ont été créées avec le souffle des Fées. Sa corne lumineuse a des pouvoirs immenses : elle guérit toutes les maladies. Il suffit pour cela de la toucher. Aliseus ne se nourrit que de pétales de roses blanches. Gardienne du royaume des Fées, elle est la plus fidèle servante de Floridiana, qu'elle protège de tous ceux qui lui veulent du mal.

HOURRA POUR TOUS LES AMIS QUI CONNAISSENT LA LANGUE DES SIGNES !

Sorcia s'envola sur son char de cuivre **FLAMBOYANT**.

– Je n'en ai pas fini avec toi, rongeur. Nous nous reverrons !

Je regardai le char qui s'éloignait dans le ciel, jusqu'à ce qu'il ne soit plus qu'un point de feu à l'horizon.

Peut-être devions-nous nous revoir, en effet… **MAIS DANS UNE AUTRE HISTOIRE** !

La licorne se posa dans le *jardin des Fées*, où m'attendaient mes compagnons.

Oscar sourit.

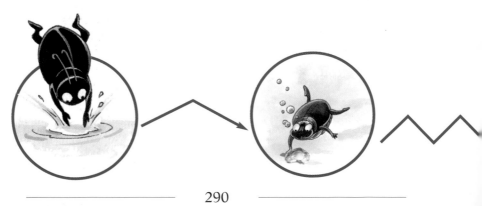

– Dès que tu m'as dit en LANGUE DES SIGNES que tu avais jeté le Cœur dans l'étang, j'ai plongé. Et j'ai pu attraper le Cœur juste avant qu'il ne touche le fond et ne s'enfonce dans la VASE. Le voici !

Il ouvrit la patte et le cœur de cristal brilla, LUMINEUX comme un rayon d'espoir.

J'embrassai Oscar.

– Grâce à toi, nous avons sauvé le Cœur ! Merci à toi... et à cette langue spéciale !

Tout le monde cria en chœur :

– Hourra pour Oscar ! Et hourra pour tous les amis qui connaissent la LANGUE DES SIGNES !

Je m'exclamai :

– Mes amis, je suis heureux... et je souhaite le même bonheur à tout le monde !

Mais, soudain, Aurore éclata en sanglots !

AVEC UNE VRAIE FAMILLE,
ON SE SENT BIEN !

Je lui demandai :

    – Pourquoi pleures-tu, Aurore ?

    Elle sécha ses larmes.

    – Je pleure parce que je suis HEUREUSE !

    Et parce que, pour la première fois, je suis entourée d'amis qui m'aiment. Je vais vous raconter mon histoire…

Histoire d'Aurore

Mon père était roi d'un lointain pays très heureux, le royaume des Glaces. Un jour, il commença à neiger... Il neigea pendant sept cents jours et sept cents nuits ! Tout le monde allait mourir de faim sous la neige, mais mon père fit construire un navire. Notre peuple, le peuple des Neiges, monta à bord et partit à la recherche d'une nouvelle terre où il pourrait vivre en paix. Nous naviguâmes pendant des jours, des semaines, des mois, jusqu'à ce qu'une tempête se lève dans la mer des Rêves. Mon père ordonna à tout le monde de se réfugier à l'intérieur du bateau, de fermer les écoutilles et les hublots. Mais quelqu'un resta sur le pont : moi ! J'étais petite, personne ne s'aperçut que je manquais à l'appel et personne n'entendit mes cris. Une vague immense balaya le pont et je tombai à la mer. Deux griffes robustes me saisirent et me sauvèrent : c'était le Dragon de l'Arc-en-Ciel ! Il m'emmena au royaume des Fées... et depuis lors je suis restée seule. Voilà mon histoire.

La famille Stilton

Je l'embrassai.

– Tu n'es plus seule, Aurore, *tu as une famille : nous !*
Puis je *souris*.

– Rares sont ceux qui le savent, mais moi aussi, j'ai
une famille spéciale ! En effet, la famille Stilton m'a
recueilli et adopté quand j'étais *petit*. J'ai grandi
avec Téa et Traquenard. Grand-père Honoré,
grand-mère Rose et tante
Toupie se sont occupés de
moi et m'ont donné
tout leur *AMOUR*... Ma
vraie famille, c'est eux !
C'est pourquoi je répète
souvent : « Mon nom
est Stilton, *Geronimo
Stilton*. » Je suis fier de
porter ce nom !

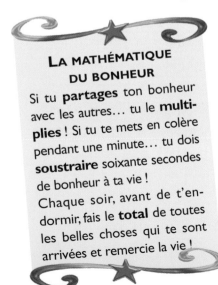

LA MATHÉMATIQUE DU BONHEUR

Si tu **partages** ton bonheur
avec les autres... tu le **multi-
plies** ! Si tu te mets en colère
pendant une minute... tu dois
soustraire soixante secondes
de bonheur à ta vie !
Chaque soir, avant de t'en-
dormir, fais le **total** de toutes
les belles choses qui te sont
arrivées et remercie la vie !

Je conclus :
– « Chez toi », c'est partout où il y a quel-qu'un qui *t'aime*...

Pustule proclama :
– C'est partout où tu te sens aimé et **bien au chaud** !

L'oie cacarda :
– *On n'a pas besoin* d'être nés de la même mère pour se sentir frères !

Oscar ajouta :
– *On n'a pas besoin* de se ressembler pour s'aimer et pour former une famille !

La Licorne hennit :
– *On n'a pas besoin* d'avoir les mêmes idées pour s'aimer et pour bien S'ENTENDRE !

Le Dragon chanta :
*Alors tout le monde serait heureux...
et la paix régnerait sur terre !*

UNE EXPLOSION D'ÉTOILES !

Je levai une patte en l'air.

– Amis, nous pouvons enfin apporter le **Cœur du Bonheur** à la *reine des Fées* ! Éclairé par le soleil, le **Cœur** devint aussi tiède qu'un poussin et s'illumina comme une *explosion d'étoiles* !

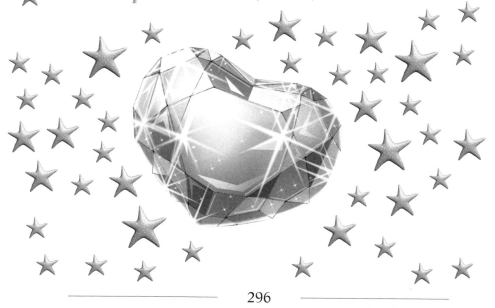

Tout le monde s'exclama, émerveillé :

OOOOOOOOOOOOOOOOOOOOOOOAAAH !!!

Nous nous hâtâmes vers Châteaucristal.

La grande porte s'ouvrit en silence... Nous entrâmes et parcourûmes au pas de course le loooooooooooooooooooooooooooooooooooong couloir de cristal en direction de la *salle du trône*.

Nous y trouvâmes Floridiana, entourée de sa COUR CONTENTE.

Je m'inclinai devant la reine, ému, et lui présentai le cœur de cristal.

Elle me sourit.

– Bienvenue, Geronimo !

– Très Douce Majesté, les obstacles qu'a dû surmonter la COMPAGNIE sont infinis, mais voici le **Cœur du Bonheur !**

Floridiana prit le Cœur.

– Merci, Geronimo !

Puis, à notre grande surprise, elle s'adressa à la COUR CONTENTE et ordonna :

Pourquoi ?

– Et maintenant, qu'on rapporte le Cœur dans la grotte de cristal !

Je m'écriai :

– Quoi ? Vous voulez rapporter le Cœur dans la grotte de cristal ? Pourquoi ? Nous avons eu tant de mal à le trouver !

Floridiana sourit gentiment.

– Je savais où il était caché !

L'important, ce n'est pas de *trouver* le Cœur, mais... de le *chercher* ! Grâce à cette longue et pénible recherche, tu as pu comprendre que... on ne peut trouver le bonheur que dans son cœur ! En effet, ce n'est pas en satisfaisant tous ses désirs qu'on s'en approche. Le bonheur ne dépend pas de ce qu'on a, mais de ce qu'on est !

Ce secret, à la fois si petit et si grand, peut changer ta vie, et il peut changer le monde !

Puis Floridiana prit un parchemin.

– En remerciement de votre dévouement et de votre courage, je suis heureuse de vous nommer *ambassadeurs du Bonheur*. Maintenant, rentrez chez vous et répandez ce secret petit et grand dans le monde entier !

Ambassadeur
du Bonheur dans le monde

Moi, Floridiana del Flor,
reine des Fées,
je nomme

Geronimo

Stilton

AMBASSADEUR
DU BONHEUR
DANS LE MONDE !

Signé :
*Floridiana
del Flor*

Un plongeon
dans l'arc-en-ciel !

Je saluai tous les amis que j'avais rencontrés dans
cette FANTASTIQUE aventure.

Puis je montai sur le Dragon, qui prit son élan et décolla en battant des ailes, de plus en plus fort, très fort, comme s'il voulait dépasser **LA VITESSE DE LA LUMIÈRE !**

Enfin, il se dirigea vers l'endroit où naît l'**ARC-EN-CIEL**, et il plongea tête la première dans le tourbillon des sept couleurs.

J'avais tellement la frousse que mes moustaches se tortillaient et que mon cœur bondissait dans ma gorge. J'avais l'impression d'être dans une essoreuse à salade !

Oooooooooooooooooh, j'avais la tête qui tournait...

Je regardais vers le bas.

Nous allions pénétrer au centre du tourbillon !

De toutes mes forces, je m'agrippai au cou du dragon, mais je fus bientôt emporté et je tombai dans le vide en hurlant : — Au secouuuuuuuurs !

Au secours... qu'est-ce qui m'arrive ???
Au secours... qu'est-ce qui m'arrive ???
Au secours... qu'est-ce qui m'arrive ???
Au secours... qu'est-ce qui m'arrive ???

C'EST PLUS FORT QUE LE ROQUEFORT !

Soudain, je me retrouvai dans mon lit.

Je m'écriai : – Où est le cœur de cristal ?

Que s'est-il passé ?

Je regardai autour de moi : *j'étais dans ma chambre !*

Que s'est-il passé ?

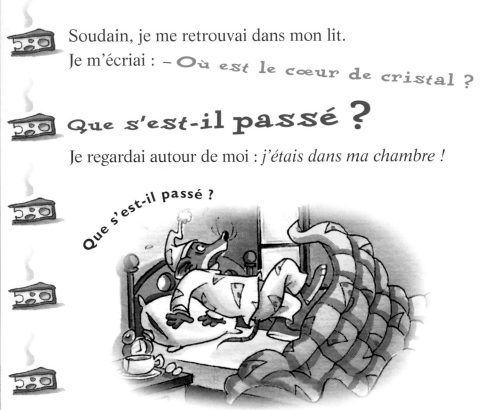

C'est alors que mon réveil SONNA :
il était sept heures du matin.

Debout !

D'un coup, je compris.

Ce merveilleux voyage au ROYAUME DE LA FANTAISIE, à la RECHERCHE DU BONHEUR…

… *avait été un* rêve !

Seulement un rêve !

Rien qu'un rêve !

INCROYABLE !

Je *réfléchis* et *re-réfléchis* et *re-re-réfléchis*… jusqu'à ce que je comprenne ce qui s'était passé.

La veille au soir, j'avais fait une indigestion de spaghettis au gruyère ; c'est pourquoi j'avais passé une NUIT très agitée !

Je murmurai, en massant mon ventre rebondi :

– Cent une assiettes de spaghettis au gruyère…

C'EST PLUS FORT QUE LE ROQUEFORT !

BURP !

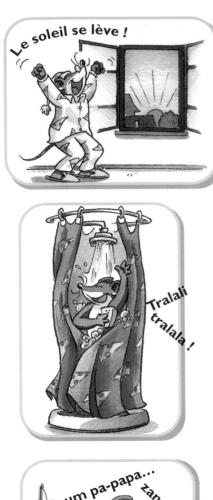

Le soleil se lève !

Tralali tralala !

Je m'étirai, me levai, sautai dans mes pantoufles et passai à la salle de bains.

Je pris une bonne DOUCHE bien chaude, shampouinai mon **pelage**, puis me coiffai les *MOUSTACHES*, me brossai les dents et M'HABILLAI ! Après quoi, je m'observai attentivement dans le miroir : j'avais toujours le *même* museau... les *mêmes* moustaches... les *mêmes* oreilles... mais mes yeux... mes yeux étaient DiFFÉrents !

Zoum pa-papa... zan-zan... et hop !

La vie est belle, et je suis... heureux !

C'étaient les yeux d'un rongeur qui a du bonheur plein le cœur... car ils brillaient de JOIE !

Ils brillaient de la même lumière qui me réchauffait le  cœur !

Je souris à l'image qui se reflétait dans le miroir.

– La vie est belle... ou plutôt, elle est merveilleuse ! Je suis heureux ! Et je veux transmettre ce bonheur à tout le monde !

LA VIE EST UN CADEAU ! Quand tu te lèves le matin, regarde-toi dans le miroir et... souris ! Remercie la vie parce qu'un nouveau jour merveilleux commence ! Chaque journée étant un cadeau précieux, ne la gaspille pas, accomplis plein de choses belles et utiles, pour toi et pour les autres... C'est un des secrets du bonheur !

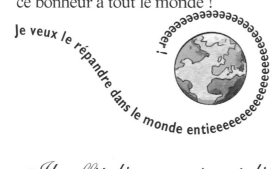

Je veux le répandre dans le monde entieeeeeeeeeeeeeeeeer !

Il suffit d'un sourire et d'un mot gentil pour répandre la lumière de la joie, parce que... le bonheur est contagieux !

UN RAYON DE SOLEIL DANS UNE GRISE JOURNÉE DE NOVEMBRE !

J'étais prêt à sortir, mais j'allai d'abord dire bonjour à mon **POISSON ROUGE** Hannibal, qui nageait dans son bocal de cristal.

Je le saluai gaiement :

– *Bonne journée*, cher Hannibal ! Comme tu as de belles nageoires ! Tu as l'air en pleine forme !

Il sortit alors la tête de l'eau pour me faire un bisou, parce que... *le bonheur est contagieux !*

Je sortis de chez moi et passai devant le kiosque à journaux de Gruittenberg Scouittin. Il marmonna :

– Pfff pfff pfff...

Je le saluai joyeusement :

– *Bonne journée,* cher Gruittenberg ! Ton kiosque est le mieux fourni de tout Sourisia !

Alors il me rendit mon sourire, parce que... *le bonheur est contagieux !*

J'entrai dans le bar en dessous de chez moi.

Le barman, Bongo Disloque, était de mauvaise humeur.

– Pfff ! Quelle horrible journée !

Je le saluai joyeusement :

– *Bonne journée,* cher Bongo ! J'adore vraiment ton cappuccino ! Alors il me rendit mon sourire, parce que... *le bonheur est contagieux !*

Je pris l'autobus et m'assis. À l'arrêt suivant, une petite vieille monta et **hurla**, d'un ton acide :

– Pfff, cet autobus est bondé !

Je lui laissai ma place en souriant joyeusement :

– *Bonne journée*, chère madame ! Vous avez un joli chapeau, vraiment très élégant !

Alors elle me rendit mon sourire, parce que... *le bonheur est contagieux !*

J'entrai dans les bureaux de L'Écho du rongeur, le journal que je dirige.

Mes collaborateurs étaient fatigués.

– Pfff, tous ces problèmes de travail...

Je SOURIS.

– *Bonne journée,* chers amis ! Comme c'est agréable de travailler avec vous !

Alors tout le monde me rendit mon sourire, parce que... *le bonheur est contagieux !*

Le soir, lorsque je quittai le bureau pour rentrer chez moi, je vis que tous les rongeurs, dans la rue, faisaient un VILAIN MUSEAU, et je les saluai gentiment. Tous me répondirent en souriant.

Eh oui, le bonheur est vraiment contagieux !

C'est si bon de répandre
le bonheur dans le monde entier…

LES MEILLEURES IDÉES ME VIENNENT... DANS MA BAIGNOIRE !

De retour à la maison, je pris un bon bain chaud débordant de mousse, comme je les aime.

J'adore prendre des bains, c'est dans ma baignoire que j'ai eu mes MEILLEURES IDÉES !

Tout en barbotant au milieu des BULLES, je réfléchis.

Il dépend de chacun de nous que le monde soit un endroit plus merveilleux encore.

Mais moi, que pouvais-je faire ?
Je réfléchis réfléchis réfléchis,
jusqu'à ce que j'aie une idée.
Je pouvais raconter mon
aventure fantastique et faire
découvrir aux autres
le secret du bonheur !
Je sortis de la baignoire et me
mis à **ÉCRIRE**.

UN MONDE MEILLEUR
Chacun de nous a reçu de la vie des capacités et des dons divers, mais chacun de nous peut faire quelque chose de beau, d'important et d'unique pour rendre ce monde meilleur !

J'avais déjà en tête le titre de mon nouveau livre :
« À LA RECHERCHE DU BONHEUR ! »
Tandis que j'écrivais les premières lignes du livre,
et que les touches de l'ordinateur cliquetaient sous
mes pattes,
et que mon esprit volait, libre,
sur les ailes de la fantaisie…
je soupirai, le cœur empli de
bonheur :

– *La vie est belle, le monde*
est merveilleux… et j'aime
tout le monde !

LES JEUX
DU BONHEUR

ORGANISER UNE FÊTE

UNE INVITATION TRÈS SPÉCIALE

Il te faut : *un carton bleu – du papier blanc – un crayon – un feutre argent – des ciseaux à bouts ronds – de la colle – un ruban argenté de 30 cm*

1 Découpe dans le carton bleu un rectangle de 15 x 30 cm.

2 Avec le feutre argent, dessine une bordure assez large sur le contour du rectangle ; fais de même au verso.

3 Fais un trou rectangulaire dans les deux côtés les moins larges du carton, à mi-hauteur ; tu y passeras le ruban pour fermer l'invitation.

4 Sur le papier blanc, dessine plein d'étoiles, en copiant le modèle ci-contre. Puis découpe-les avec les ciseaux à bouts ronds et colle-les à l'intérieur du billet, en laissant de la place pour écrire.

10 septembre
16 heures
jardin des Fées

La Compagnie
du Bonheur
t'attend !

5 Avec le feutre argent, écris sur le côté gauche du carton la date, l'heure et le lieu de la fête ; sur le côté droit, écris l'invitation.

6 Sur le papier blanc, dessine une étoile plus grande que celles que tu as collées à l'intérieur, puis colorie-la avec le feutre argent et découpe-la.

7 Plie le carton en deux et colle cette étoile au centre du billet fermé. Puis, avec le feutre argent, écris le nom de la personne que tu veux inviter.

8 Referme le billet en faisant passer le ruban dans la fente, et fais un joli nœud.

9 Envoie l'invitation à tous tes amis !

Pour Benjamin

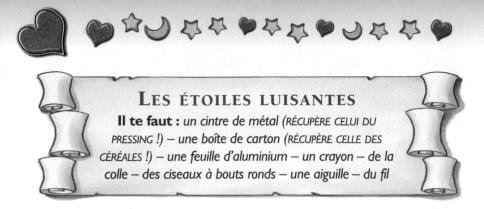

LES ÉTOILES LUISANTES

Il te faut : *un cintre de métal (RÉCUPÈRE CELUI DU PRESSING !) – une boîte de carton (RÉCUPÈRE CELLE DES CÉRÉALES !) – une feuille d'aluminium – un crayon – de la colle – des ciseaux à bouts ronds – une aiguille – du fil*

1 Découpe les faces latérales de la boîte de carton et mets-les à la poubelle, puis colle ensemble les deux faces les plus grandes.

2 Colle la feuille d'aluminium sur ce rectangle de carton, de manière à obtenir un rectangle couleur argent.

3 Sur l'aluminium, dessine plein d'étoiles (tu peux recopier le modèle que tu as utilisé pour l'invitation).

4 À l'aide des ciseaux à bouts ronds, découpe les étoiles.

5 Demande à un adulte de faire un trou dans chaque étoile à l'aide de l'aiguille. Fais passer le fil dans le trou et fais un nœud.

6 Attache les fils des étoiles au cintre, en prenant soin d'avoir des fils courts et d'autres longs, pour que toutes les étoiles ne soient pas à la même hauteur.

7 Accroche cette décoration au montant de la porte, ou demande à un adulte de la fixer au plafond avec un crochet.

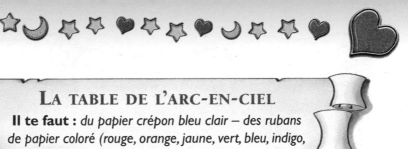

LA TABLE DE L'ARC-EN-CIEL

Il te faut : *du papier crépon bleu clair – des rubans de papier coloré (rouge, orange, jaune, vert, bleu, indigo, violet) – du ruban adhésif double face – des ciseaux à bouts ronds*

1 Étale sur la table le papier crépon en guise de nappe : si la table est trop grande, tu peux réunir deux feuilles de papier crépon avec le ruban adhésif.

2 Toujours avec le ruban adhésif, fixe le papier crépon aux quatre coins de la table.

3 Avec les rubans colorés, prépare sept nœuds (A, B, C).

4 Colle les nœuds sur les bords de la nappe, en suivant l'ordre des couleurs de l'arc-en-ciel : rouge, orange, jaune, vert, bleu, indigo, violet.

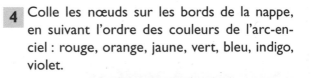

Menu du bonheur

Barquettes croquantes

Mini-bouchées gourmandes

Petites pizzas enneigées

Escargots précieux

Choux alléchants

Rouleaux appétissants

Boulettes dorées

Petits cœurs de blanc-manger

BARQUETTES CROQUANTES

Ingrédients pour 6 personnes : 1 branche de céleri –
200 g de ricotta – une cuillerée à café de marjolaine hachée –
10 feuilles de basilic – 4 cuillères à soupe d'huile – sel

1 Dans un bol, mets la ricotta, la marjolaine, le sel et l'huile.

2 Mélange ces ingrédients avec une cuillère jusqu'à obtenir
une crème moelleuse.

3 Lave le céleri, puis demande à un adulte de couper les côtes
en petits morceaux de 7 cm environ.

4 Remplis ces « barquettes » avec la crème de
ricotta, puis décore avec les feuilles de basilic.
Dispose les barquettes sur une assiette.

MINI-BOUCHÉES GOURMANDES

Ingrédients pour 6 personnes : 200 g de fromage frais –
1 poignée d'amandes hachées effilées, 1 poignée de brisures
de noix – 3 cuillerées à soupe de chapelure – des cure-
dents

1 Dans une assiette, mets la chapelure, les
amandes et les noix hachées, et mélange bien.

2 Demande à un adulte de couper le fromage
frais en petits morceaux.

3 Roule les morceaux de fromage dans le mélange
d'amandes, de noix et de chapelure, de manière à bien les
enrober.

4 Plante un cure-dent dans chaque morceau de fromage et
dispose ces mini-bouchées sur un plateau.

Petites pizzas enneigées

Ingrédients pour 6 personnes : 500 g de pâte à pain –
250 g de mozzarella coupée en dés – fromage râpé – farine
– huile d'olive – origan – sel

1 Mets un peu de farine sur un plan de travail et
étale la pâte avec un rouleau, puis prends un
verre et fais 6 petits disques.

2 Dispose les petits disques de pâte sur une plaque à four
huilée.

3 Place la mozzarella sur les pizzas, puis ajoute un peu de fromage râpé et une pincée d'origan.

4 Demande à un adulte de mettre les pizzas à
cuire dans un four à 200 °C pendant 20 minutes
environ.

Escargots précieux

Ingrédients pour 6 personnes : 500 g de pâte à pain – 60 g
d'emmental coupé en dés – 50 g d'olives vertes dénoyautées –
4 filets d'anchois à l'huile – huile d'olive – sel

1 Étends la pâte avec un rouleau, en lui donnant la forme d'un
rectangle.

2 Demande à un adulte de couper les olives et les anchois en
morceaux.

3 Dépose sur la pâte les petits dés d'emmenthal, les olives,
les anchois, puis enroule la pâte sur elle-même.

4 Demande à un adulte de couper le rouleau
de pâte en tranches, dispose celles-ci sur
une plaque à four huilée et fais-les cuire à
200 °C pendant 20 minutes environ.

Choux alléchants

Ingrédients pour 6 personnes : 18 choux à garnir — 250 ml de sauce Béchamel prête à l'emploi — 100 g de gruyère en morceaux

1 Demande à un adulte de réchauffer la béchamel.

2 Ajoute le gruyère en morceaux et mélange avec une cuillère en bois jusqu'à ce qu'il soit bien fondu.

3 Demande à un adulte de couper le chapeau des choux, puis remplis-les de béchamel à l'aide d'une cuillère.

4 Referme chaque chou avec son chapeau et dispose-les sur un plat.

Rouleaux appétissants

Ingrédients pour 6 personnes : 10 œufs — 250 g de thon — 3 pommes de terre bouillies — 1 cuillérée à café de persil haché — huile d'olive — sel

1 Casse les œufs dans un bol, ajoute une pincée de sel et bats-les vigoureusement à la fourchette. Demande à un adulte de faire cuire deux omelettes.

2 Pendant ce temps, place dans un autre bol les pommes de terre, le thon et le persil. Écrase le tout avec une fourchette.

3 Tartine le mélange sur les deux omelettes et enroule-les bien serré.

4 Demande à un adulte de couper les deux rouleaux en petites tranches, puis dispose-les sur un plat.

BOULETTES DORÉES

Ingrédients pour 6 personnes : 400 g de filets de plie – 50 g de chapelure – 20 g de beurre – 2 œufs – 2 tranches de pain rassis – 1 cuillerée à soupe de fromage râpé – lait – 1 cuillerée à café de persil haché – 4 feuilles de salade – sel

1 Place le pain rassis dans un bol et verse dessus quelques cuillerées à soupe de lait, de manière à bien imbiber les tranches.

2 Ajoute le persil haché, le fromage râpé, la chapelure et les filets de plie coupés en morceaux.

3 Mélange bien tous les ingrédients et ajoute une pincée de sel.

4 Casse les œufs dans une jatte, puis ajoute la préparation au poisson et mélange encore, de manière à obtenir une pâte assez consistante.

5 Prends un peu de cette pâte dans les mains et forme une boulette de la taille d'une balle de ping-pong. Utilise toute la pâte pour préparer d'autres boulettes.

6 Demande à un adulte de faire fondre le beurre dans une poêle et de faire frire les boulettes jusqu'à ce qu'elles soient bien dorées.

7 Lave les feuilles de salade, essore-les bien, dispose-les sur un plat et mets dessus les boulettes de plie.

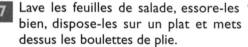

Petits cœurs de blanc-manger

Ingrédients pour 6 personnes : 500 g de crème fraîche – 40 cl de lait – 100 g de pâte d'amande – 12 g de gélatine en feuille – sel

1. Verse le lait dans un récipient et ajoute la pâte d'amande, que tu auras au préalable émiettée. Laisse reposer une nuit.

2. Trempe les feuilles de gélatine dans un bol d'eau chaude pour les ramollir, puis sors-les et essore-les bien.

3. Verse le lait dans une casserole en le filtrant à travers une passoire, puis demande à un adulte de mettre la casserole sur le feu pour le réchauffer.

4. Retire la casserole du feu avant que le lait n'arrive à ébullition.

5. Ajoute les feuilles de gélatine et fais-les fondre dans le lait en remuant. Laisse refroidir.

6. Demande à un adulte de fouetter la crème fraîche avec un batteur électrique, en ajoutant une pincée de sel : la crème doit devenir assez épaisse.

7. Verse la crème fouettée dans le lait et mélange délicatement. Puis répartis le mélange dans de petits moules en forme de cœur.

8. Mets les petits cœurs au réfrigérateur pendant 12 heures environ, puis démoule-les avant de les servir.

JEUX D'INTÉRIEUR

L'HISTOIRE SANS FIN

- On tire au sort celui qui commence la partie.

- Le premier joueur prononce une phrase. Le deuxième doit la répéter en ajoutant quelques mots à la fin, afin de faire une phrase un peu plus longue. On ne peut pas ajouter plus de quatre mots nouveaux.

- Le troisième joueur doit répéter la phrase prononcée par le deuxième joueur et ajouter à son tour quelques mots, et ainsi de suite jusqu'au dernier joueur.

- Le joueur qui se trompe en répétant la phrase a un gage.

J'ai vu une étoile qui est tombée...

J'ai vu une étoile qui est tombée dans un puits...

J'ai vu une étoile qui est tombée dans un puits du jardin des Fées !

LE MOT CACHÉ

Il te faut : un crayon et du papier pour tout le monde.

- Un joueur prépare une liste de mots qui appartiennent au même groupe thématique. Par exemple, si le groupe thématique est « animaux », le joueur peut écrire :

  COCHON – CHEVAL – MARMOTTE – ÉCUREUIL – RHINOCÉROS – ÉLÉPHANT – TIGRE – KANGOUROU – MOUETTE

- Puis il sépare avec un tiret les lettres de chaque mot (par exemple, R-H-I-N-O-C-É-R-O-S) et il les recompose dans le désordre, afin de former des mots de fantaisie : NOCHOC – VACHEL – TROMETAM – LURIEUCÉ – ROCHÉRSOIN – PANTHÉLÉ – RIGET – GANOURKOU – TETEMOU.

- Enfin il recopie la liste de ces drôles de mots sur autant de feuilles qu'il y a de joueurs.

- Les autres participants doivent réussir à recomposer correctement tous les mots (cela s'appelle des ANAGRAMMES !).

- Chaque mot juste compte pour 1 point s'il a été trouvé par plusieurs joueurs, pour 2 points s'il n'a été trouvé que par un seul joueur.

LE HÉROS

Il te faut : un crayon et du papier pour tout le monde.

- On tire au sort celui qui sera le « héros ».

- Les autres joueurs écrivent le nom du héros sur leur papier, de haut en bas.

- Avec chacune des lettres du prénom, chaque joueur doit inventer une phrase qui décrit le héros. Il peut y avoir une phrase par ligne, mais les phrases peuvent aussi se relier entre elles (ce jeu avec les mots s'appelle ACROSTICHE !).

- Quand tout le monde a fini, chaque joueur, à tour de rôle, lit son petit récit. Le héros désigne l'histoire la plus amusante et son auteur devient le nouveau héros.

GERONIMO EST DIRECTEUR DE L'ÉCHO DU RONGEUR...

ET VIT À SOURISIA, CAPITALE DE L'ÎLE DES SOURIS.

RONGEUR INTELLECTUEL, IL EST TRÈS...

ORDONNÉ ET COLLECTIONNE LES CROÛTES DE FROMAGE.

NULLE SOURIS N'EST PLUS GENTILLE QUE LUI.

IL A UN NEVEU CHÉRI, BENJAMIN.

MAIS SA VRAIE PASSION, C'EST DE RACONTER SES AVENTURES,

OU D'ÉCRIRE DES LIVRES QUI SONT TOUS DES BEST-SELLERS,

GARANTI AU FROMAGE !

LES DEUX LETTRES

Il te faut : un crayon et du papier pour tout le monde.

- On tire au sort le nom d'un joueur. Il doit choisir deux lettres : par exemple, A et N.

- Les autres joueurs doivent écrire sur un papier trois mots contenant le plus grand nombre de fois les deux lettres : par exemple, ANANAS.

- Quand tout le monde a fini, on compte les points : 4 points pour le mot qui contient le plus de fois les deux lettres ; 2 points pour un mot qui contient plusieurs fois une seule lettre.

JEUX DE PLEIN AIR

SAC PLEIN... SAC VIDE

- On tire au sort le maître du jeu.

- Les autres joueurs forment un cercle autour de lui.

- Quand le maître du jeu dit « sac plein », les joueurs doivent être debout. Quand il dit « sac vide », ils doivent être assis par terre. Pour rendre le jeu plus difficile, le maître peut répéter plusieurs fois de suite le même ordre.

- Les joueurs qui se trompent sortent du cercle. Le dernier qui reste dans le jeu devient le maître du jeu de la partie suivante.

LES TROIS ROYAUMES

Il te faut : un ballon.

- On tire au sort le maître du jeu.

- Les autres joueurs forment un cercle autour de lui. Le maître du jeu lance le ballon à un joueur en disant dans quel royaume on joue : « eau », « air » ou « terre ».

- Celui qui reçoit le ballon doit le renvoyer au maître en disant le nom d'un animal ou d'un objet qui se trouve dans ce royaume. Puis le maître lance le ballon à un autre joueur.

- Celui qui donne une bonne réponse gagne 1 point, celui qui se trompe en perd 1. Le premier qui arrive à 10 points a gagné !

EAU !

POISSON !

LE JOURNAL
DU BONHEUR

Ce journal appartient à...

....

Chers amis rongeurs,

Chaque jour, il se passe plein de choses.

De petites et de grandes choses, par exemple

la naissance d'un petit frère ou d'une petite

sœur... la rencontre avec un nouvel ami

ou une nouvelle amie... le premier jour

d'école... l'arrivée d'un chiot ou

d'un chaton à la maison...

Il y a un bon côté à tout : il suffit de savoir

le trouver !

Essayez de raconter à votre journal tout ce qui vous arrive : cela vous aidera à voir le bon côté des choses !

Et vous découvrirez que le bonheur est toujours proche, très proche...

Attrapez-le au vol !

Le bonheur est toujours proche... attrapez-le au vol !

Raconte un moment heureux vécu avec tes copains. L'amitié, c'est un des secrets du bonheur !

On n'oublie pas le passé...

On aime et on vit le présent...

On imagine et on construit le futur !

Colle ici une photo de toi
avec ton meilleur ami
ou ta meilleure amie !

La classe de Benjamin

Rarine

Hsing

Tian Kaô

Sakoura

Demande à tes camarades d'école d'écrire une phrase sur le bonheur !

Trippo

Atina

Mohamed

Liza

Kikou

Carmen

Tui

Diego

Roupa

Takeshi

Kouti

Benjamin

Laura

Milenko

Antonia

Oliver

Esmeralda

David

Et maintenant, écris des phrases

sur le bonheur de ton invention !

LE BONHEUR, C'EST...

... embrasser un arbre très très fort !

... lire un livre sous le parasol !

... regarder ensemble le soleil couchant !

Citations sur le bonheur !

« Si tu as découvert le bonheur en toi, il peut rester longtemps caché mais ne sera jamais perdu. »
(Anne Frank, petite fille juive, 1929-1945)

« Le vrai moteur de notre vie, c'est le bonheur. »
(Tenzin Gyatso, dalaï-lama du Tibet, né en 1934)

« Combien noble est celui dont le cœur est triste et qui veut pourtant chanter, pour ceux qui ont le cœur heureux, un air gai. »
(Khalil Gibran, poète et écrivain libanais, 1883-1931)

« Tous les hommes sont créés égaux ; ils sont doués par le Créateur de certains droits inaliénables ; parmi ces droits se trouvent la vie, la liberté et la recherche du bonheur. »
(Thomas Jefferson, homme politique américain et principal rédacteur de la Déclaration d'indépendance des États-Unis, 1743-1826)

« Faites que tous ceux qui viennent à vous repartent en se sentant mieux et plus heureux. Le bonheur est contagieux. »
(Mère Teresa de Calcutta, missionnaire de la Charité, prix Nobel de la paix, 1910-1997)

« C'est en donnant qu'on reçoit, en agissant avec attention envers ses frères qu'on trouve le véritable bonheur. »
(Jean-Paul II, pape, 1920-2005)

« Le bonheur n'est pas dans les choses, il est en nous ! »
(Richard Wagner, compositeur allemand, 1813-1883)

« Un des grands secrets du bonheur est de modérer ses désirs et d'aimer les choses qu'on possède. »
(Émilie du Châtelet, philosophe française, 1706-1749)

« Le bonheur, c'est un petit toutou bien chaud. »
(Charles M. Schulz, dessinateur américain des Peanuts, 1922-2001)

« Le bonheur et la paix du cœur naissent quand on fait ce que l'on considère comme bon et juste, pas quand on fait ce que les autres disent de faire ou font. »
(Mahatma Gandhi, homme politique indien, 1869-1948)

« Pour jouir pleinement du bonheur, il faut avoir quelqu'un avec qui le partager. »
(Mark Twain, écrivain américain, 1835-1910)

« Lorsqu'une porte du bonheur se ferme, une autre s'ouvre ; mais parfois on observe si longtemps celle qui est fermée qu'on ne voit pas celle qui vient de s'ouvrir à nous. »
(Helen Keller, Américaine sourde et non voyante qui a appris cinq langues étrangères, a fréquenté l'université de Harvard et a écrit des dizaines de livres, 1880-1968)

Écris dix choses qui te rendent heureux :

1.

2.

3.

4.

5.

Qui trouve un ami... trouve un trésor !

6.

7.

8.

9.

10.

Comment dit-on « bonheur » en...
allemand = Glück
anglais = happiness
arabe = sâda
chinois = kuàilè
espagnol = felicidad
grec = eftichìa
hébreu = osher
hindi = khushì
italien = felicità
japonais = koohuku

néerlandais = geluk
norvégien = lykke
philippin = kaligayahan
portugais = felicidàde
roumain = fericire
russe = scàst'je
serbo-croate = sreça
suédois = lycka
swahili = furaha
tibétain = de-kì
vietnamien = susong-su'óng

BONHEUR ET PHILOSOPHIE

Le mot « philosophie » vient du grec et signifie « amour de la sagesse » (*philia* = « amour » ; *sophia* = « sagesse »).

En Europe, la philosophie est née il y a 2 500 ans, chez les anciens Grecs. Depuis lors, l'homme cherche les réponses aux questions qu'il se pose sur lui-même et sur le monde qui l'entoure.

L'une des plus importantes est : « QU'EST-CE QUE LE BONHEUR ? »

À cette question, chaque philosophe a apporté une réponse différente, mais tous sont d'accord sur deux points :

1) POUR ÊTRE HEUREUX, IL FAUT ÊTRE BON

Pour SOCRATE (469-399 avant J.-C.), seuls ceux qui aiment la vertu et le savoir peuvent être heureux.

PLATON (427-347 avant J.-C.) pense que seules les personnes qui pratiquent la justice et la bonté peuvent atteindre le bonheur.

SOCRATE

PLATON

ARISTOTE (384-322 avant J.-C.) dit que si chacun est à la recherche du bonheur, on peut néanmoins se tromper en croyant l'avoir trouvé dans les plaisirs, dans l'argent, dans la gloire. Le vrai bonheur, on le trouve en augmentant ses connaissances, en agissant selon l'honnêteté et la bonté.

ARISTOTE

Pour Épicure (341-271 avant J.-C.) aussi, seul celui qui est bon peut être heureux : « Une vie sans prudence ni bonté ni justice ne saurait être heureuse et le bonheur ne saurait être sans plaisir. De fait, les vertus se trouvent naturellement liées dans la vie heureuse, de même que la vie heureuse ne se sépare point de ces vertus. »

ÉPICURE

2) Pour être heureux, il faut savoir se contenter de ce qu'on a

D'après Épictète (50-138), pour être heureux, il faut se contenter de ce qu'on a, sans s'attacher aux biens matériels.

Pour René Descartes (1596-1650), il est important de ne pas faire dépendre notre bonheur de la réalité extérieure, qui, souvent, ne correspond pas à nos désirs.

ÉPICTÈTE

DESCARTES

Blaise Pascal (1623-1662) conseille de rechercher le bonheur dans le présent, en vivant « ici et maintenant », en appréciant ce que la vie nous a déjà donné, sans exagérer nos espoirs pour demain. Il conseille aussi d'écouter son cœur : « Le cœur a ses raisons, que la raison ne connaît point. »

PASCAL

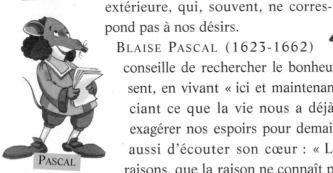

Écris une fable sur le bonheur... de ton invention !

Le bonheur dans les contes !

Blanche-Neige : pour Blanche-Neige, le bonheur, c'est... découvrir la force de l'amitié ! Les sept petits amis qu'elle trouve dans la maison de la forêt la protégeront de la méchante sorcière.

Le Petit Chaperon rouge : pour le Petit Chaperon rouge, le bonheur, c'est... aimer sa grand-mère ! Les grands-parents sont des personnes très particulières, qui nous comprennent et ont plein de choses à nous apprendre, parce qu'elles ont l'expérience de la vie.

Les Trois Petits Cochons : pour les Trois Petits Cochons, le bonheur, c'est... vaincre le loup tous ensemble ! Quand on est seul, il est difficile de résoudre un problème. Ensemble, c'est plus facile !

Cendrillon : pour Cendrillon, le bonheur, c'est... l'affection de la fée marraine, qui lui offre la possibilité d'aller au bal du prince !

Existe-t-il une recette secrète du bonheur ? Bien sûr, et elle est très simple, comme tout ce qu'il y a de meilleur et de plus beau dans la vie !

La recette secrète du bonheur

Beaucoup d'amour !

Une grande confiance en soi et dans les autres !

Une bonne dose de patience !

Plein d'humour !

Énormément d'optimisme !

Une pincée d'amitié fidèle !

LE CORBEAU
ET LE PAON

Il était une fois un corbeau superbe et vaniteux.
Un jour, il trouva par terre des plumes de paon.
Ébloui par tant de beauté, il décida de s'en parer.
Il les attacha à sa queue, si bien qu'on aurait dit
la roue d'un paon. Puis il commença à se pava-
ner devant ses semblables, en prenant des airs
de grand personnage.

Il était si content de son déguisement qu'il quitta
son village et alla dans celui des paons.

Mais les paons le démasquèrent. Ils l'entourèrent
et se moquèrent de lui, puis le chassèrent à
coups de bec, en lui arrachant les plumes.

Le pauvre corbeau rentra chez lui, triste et humi-
lié. Mais ses semblables ne l'accueillirent pas

volontiers et lui dirent : « Il n'y a plus de place pour toi au village, tu t'es moqué de nous sans accepter ce que la nature t'avait donné. » L'orgueilleux corbeau resta seul, sans maison, sans amis avec qui partager les moments tristes et les moments heureux.

La morale de cette fable, c'est que si on désire être ce qu'on n'est pas, on devra subir la honte et l'humiliation. Un des secrets du bonheur, c'est d'apprendre à aimer ce qu'on est et ce qu'on a.

Librement adapté d'une fable de Jean de La Fontaine, « Le Geai paré des plumes du Paon ».

Personne ne sera heureux… s'il ne respecte pas la nature et l'environnement !

Raconte une journée passée dans la nature : qu'as-tu ressenti ?

BENJAMIN, TRAQUENARD
ET MOI : PROMENADE EN FORÊT !

Le bonheur, c'est aussi apprendre à faire des choses nouvelles, comme jouer au foot ou faire des pointes à la danse... Raconte ce que tu sais faire !

Et hop !

Si tu joues au ballon, fais-le pour le plaisir de passer un bon moment avec des copains, pas pour gagner à tout prix ! L'important, dans le sport comme dans la vie, ce n'est pas de gagner, c'est de participer ! Nous sommes tous bons... Nous sommes tous des champions !

BENJAMIN ET MOI, C'EST ENSEMBLE
QUE NOUS AVONS APPRIS À JOUER
AUX DAMES !

Sur le parchemin, écris un poème sur le bonheur ! Voici quelques conseils...

1. Sers-toi de ta fantaisie !

2. Exprime tes sentiments !

3. Trouve des rimes rigolotes !

Cherche un mot...

... qui rime avec « camembert » !

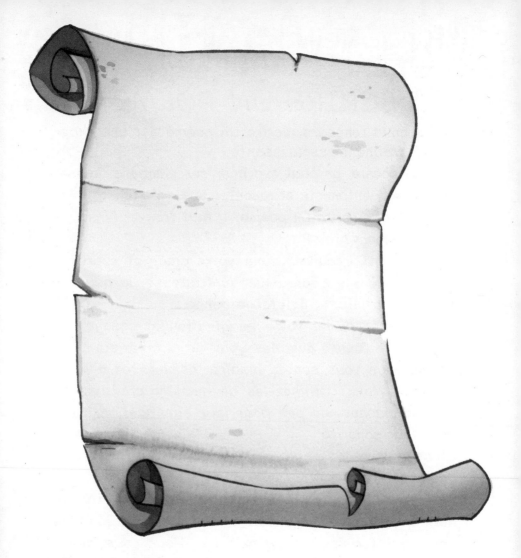

Poème écrit par............................

le..

dédié à..

ÉCRIRE UN POÈME

Chers amis rongeurs, écrire un poème est une expérience vraiment assourissante !

Avec la poésie, on peut exprimer ses émotions, laisser parler ses sentiments et raconter ses expériences.

Mais avant d'écrire un poème, il faut trouver l'inspiration. Comment faire ?

Tout d'abord, regardez dans votre cœur et exprimez tout ce que vous éprouvez : la tristesse, la peur, la solitude, la joie, la gaieté, le bonheur !

Puis laissez parler votre imagination et essayez de regarder la réalité avec les yeux de la fantaisie !

Quand vous vous sentez inspiré, commencez à jouer avec les mots : utilisez-les de manière créative, en les choisissant non pas pour leur signification, mais pour leur sonorité.

C'est ainsi qu'on apprend à écrire en vers et à faire des rimes !

La rime est un jeu de mots fondé sur la sonorité. Le dernier mot d'un vers doit avoir le même son que celui qui termine un autre vers. Pour vous aider, j'ai préparé un mini-DICTIONNAIRE DE RIMES, où les mots sont classés par leur dernière syllabe. Amusez-vous bien !

DICTIONNAIRE DE RIMES

-ACE
audace, basse, brasse, classe, échasse, espace, glace, grâce, hélas, limace, passe, place, rosace, surface, trace

-AGE
âge, apprentissage, bagage, barrage, cage, courage, étage, fromage, image, nage, nuage, page, pelage, plage, sage, visage

-AGNE
campagne, compagne, gagne, montagne, pagne

-AME
âme, dame, drame, femme, flamme, lame, réclame

-AN
accident, aimant, argent, banc, brigand, caïman, croissant, dent, diamant, éléphant, enfant, étang, géant, gens, gluant, hareng, lent, maman, puant, vent

-AR
art, bagarre, brouillard, cafard, camping-car, cauche-mar, étendard, épars, guitare, lard, lézard, mare, nectar, nénuphar, oscar, phare, traquenard, bizarre

-ARTE
carte, pancarte, tarte

-ATE

avocate, chatte, date, datte, échec et mat, gratte, mainate, patate, patte, pirate, tomate

-ATO

bateau, château, gâteau, plateau, râteau

-CHON

bouchon, cochon, cornichon, pâlichon, polochon, reblochon, ronchon, torchon

-DI

après-midi, bigoudi, comédie, encyclo-pédie, étourdi, jeudi, lundi, maladie, mardi, mercredi, paradis, radis, samedi, vendredi

-ÉON

accordéon, caméléon, Napoléon

-ÈRE

adversaire, air, amer, boulangère, camembert, colère, contraire, cuillère, dessert, enfer, frère, guerre, hélicop-tère, mer, mère, mystère, père, repère, vert

-ERME

ferme, germe, pachyderme, terme

-ÉTI

appétit, confetti, spaghetti

-ETTE

bicyclette, galette, mimolette, raclette, toilette, violette

-ÊTRE

ancêtre, bien-être, être, fenêtre, lettre, mètre, mettre, paraître

-EUR

auteur, bonheur, campeur, chaleur, chanteur, cœur, collectionneur, couleur, directeur, doc-teur, dormeur, douceur, erreur, facteur, faveur, fleur, grandeur, honneur, horreur, instituteur, jongleur, lecteur, lenteur, maigreur, malheur, moniteur, moteur, odeur, ordinateur, promeneur, rongeur, sœur, spectateur, vapeur

-GNÉ

araignée, baigner, beignet, peigner, régner, saigner

-GO

cargo, dingo, escargot, lingot, nigaud, tango

-GON

bougon, dragon, lagon, wagon

-IEN

ancien, batracien, bien, chien, gardien, mien, moyen, pharmacien, revient, rien, sien, tien, vaurien

-IN

babouin, bain, bambin, Benjamin, chemin, coin, dessin, enfin, faim, jardin, lutin, main, matin, pain, pingouin, poussin, radin, raisin, sapin, train

-ION

action, attention, avion, camion, crayon, direction, évasion, galion, lion, oignon, question

-IR

aplatir, bâtir, courir, délire, finir, martyre, offrir, pire, réfléchir, rire, sourire, zéphyr

-ISSE

avarice, délice, dix, écrevisse, fils, hélice, iris, justice, police, réglisse

-LO

allô, boulot, goulot, kilo, mulot, rigolo, rouleau, vélo

-LON

ballon, grêlon, long, melon, mouflon, talon, violon

-MO

chameau, eskimo, Geronimo, grumeau, jumeau, mot, rameau

-OI

autrefois, bois, casse-noix, croix, droit, froid, n'importe quoi, oie, parfois, petit pois, poids, voix

-OIR

accoudoir, boire, douar, espoir, gloire, miroir, poire, répertoire, tableau noir, ivoire

-OME

astronome, chewing-gum, gastronome, gomme, homme, pomme

-ONÉ

bâtonnet, bonnet, chiffonner, cochonnet, couronner, donner, monnaie, poney

-OR

alligator, aurore, bord, corps, dehors, fort, or, porc, port, trésor, tricolore

-OSE

arrose, cause, chose, dose, pause, pose, prose, rose

-OUCHE

bouche, cartouche, douche, louche, mouche, touche

-OUR

amour, bonjour, concours, contour, cour, détour, discours, four, humour, jour, lourd, retour, tour, troubadour, *vautour*, velours

-OURI

bistouri, nourri, pourri, souris

-TON

menton, raton, tonton

-UME

agrume, amertume, brume, costume, coutume, *légume*, plume, rhume, volume

-ZA

balsa, mimosa, *pizza*, visa

Le bonheur, c'est fait de mille choses –
aussi et surtout . . . d'un monde où tout
le monde vit en paix !

Table des Matières

www.geronimostilton.com

Pour l'édition originale :
© 2005 Edizioni Piemme S.P.A. Via del Carmine, 5 –
15033 Casale Monferrato (AL) – Italie
sous le titre *Alla ricerca della felicità*
Pour l'édition française :
© 2006 Albin Michel Jeunesse – 22, rue Huyghens – 75014 Paris –
www.albin-michel.fr
Loi 49 956 du 16 juillet 1949 sur les publications destinées à la jeunesse
Dépôt légal : second semestre 2006
N° d'édition : 16881/3
ISBN-13 : 978 2226 17191 7
Imprimé en Italie par Agostini en juin 2007

Stilton est le nom d'un célèbre fromage anglais. C'est une marque déposée de Stilton Cheese Maker's Association. Pour plus d'information, vous pouvez consulter le site www.stiltoncheese.com

Geronimo Stilton

DANS LA MÊME COLLECTION

Ils ont participé à cet ouvrage :

Texte de Geronimo Stilton.
Coordination éditoriale : Piccolo Tao *et* Linda Kleinefeld.
Édition de Topatty Paciccia *avec* Eugenia Dami.
Direction artistique : Gògo Gó. *Assisté de* Lara Martinelli.
Graphisme : Merenguita Gingermouse, Zeppola Zap, Sara Baruffaldi *et* Yuko Egusa. *Illustration de* Francesco Barbieri, Silvia Bigolin, Federico Brusco, Lorenzo Chiavini, Michele Dallorso, Andrea Denegri, Valentina Grassini, Blasco Pisapia, Vittoria Termini, Anna Ziche *et* Archivio Piemme. *Réalisation 3D de* Iacopo Bruno, Umberta Pezzoli *et* Leonardo Ponzani.
Couverture de Iacopo Bruno *et* Flavio Ferron.
Collaboration éditoriale de Diego Manetti.
Conseils psychologiques du doct. Giovanna Daverio.
Un remerciement à Certosina Kashmir, Rebecca *et* Vanessa Romeo, Marisa Barbi, Mika Vasilij, Associazione Progetti Felicità *et* Scuola di Cossalto (Bi).
Un remerciement à P.P.D.P. *et* M.A.

Pour les pages 238 à 243 : Langue des Signes Française (LSF), collection de dictionnaires bilingues LSF / Français.
IVT, International Visual Theatre
(Édition, Formation et Théâtre en langue des signes)
7 cité Chaptal 75009 Paris.
Tél. : 01 53 16 18 10 − Fax : 01 53 16 18 19
www.ivt.fr http://www.ivt.fr

Ambassadeur
du Bonheur dans le monde

Moi, Floridiana del Flor,
reine des Fées,
nomme...

....

....

AMBASSADEUR
DU BONHEUR
DANS LE MONDE !

Signé :

Floridiana
del Flor

Tu as lu ce livre ?
Tu as découvert le secret du bonheur ?
Alors inscris ton prénom et ton nom
sur le parchemin :
comme Geronimo Stilton, tu es, toi aussi,
un AMBASSADEUR DU BONHEUR DANS LE MONDE !

Hourra, je suis ambassadeur du Bonheur !

LE BONHEUR, C'EST AUSSI... UN SOURIRE !